Herausgegeben von Jörg-Matthias Roche

Fit für den TestDaF

((Tipps und Übungen))

Hueber Verlag

Mitarbeiterinnen und Mitarbeiter

– Kapitel Selbsteinschätzung:
  Peter Lege, Tanja Mayr-Sieber, Dr. Gabriele Thelen
– Materialien zu den vier Prüfungsteilen und zum Modelltest:
  Heidi Matthiessen, Andrea Sieben-Shimada
  Manuskriptredaktion: Helen Schmitz

Onlinefassung: **uni-deutsch.de**-Team (www.uni-deutsch.de)

Quellenverzeichnis

Seite 32:   Text nach Wolfgang Blum aus: Die Zeit vom 27.11.2001
Seite 40:   Text nach Jutta Hoffritz aus: Die Zeit, Nr. 52/2001
Seite 48/49: Text nach Hermann Blümel © Informationen aus dem Institut für angewandte Ökologie, Kirtorf-Wahlen
Seite 56:   Text nach Eva Bänninger-Huber © Verlag Hans Huber AG, Bern
Seite 98/101: Grafiken: Verwendung mit freundlicher Genehmigung von Greenpeace e.V., Hamburg
Seite 106:   Grafik © Statistisches Bundesamt
Seite 115:   Grafik © Bundesministerium für Umwelt, Naturschutz und Reaktorsicherheit
Seite 134/137/138: Grafiken nach HIS Hochschul-Informations-System, Hannover
Seite 149:   Grafik © Deutscher Instituts-Verlag, Köln
Seite 164:   Text von Wolfgang Uchatius aus: Die Zeit, Nr. 44/2002
Seite 166:   Textabdruck mit freundlicher Genehmigung von Franz Ossing, Potsdam
Seite 175:   Grafiken © Globus Infografik, Hamburg
Seite 179:   Grafik © Redaktion Kunststoffe, Carl Hanser Verlag, München
Seite 182:   Grafik nach Wolfgang Sischke aus: Die Zeit vom 26.08.2004

Wir haben uns bemüht, alle Inhaber von Grafik- und Textrechten ausfindig zu machen. Sollten Rechteinhaber hier nicht aufgeführt sein, so ist der Verlag für entsprechende Hinweise dankbar.

5.   4.   3.   Die letzten Ziffern
2011   10   09   08   07   bezeichnen Zahl und Jahr des Druckes.
Alle Drucke dieser Auflage können, da unverändert,
nebeneinander benutzt werden.
1. Auflage
© 2005 Hueber Verlag, 85737 Ismaning, Deutschland
Verlagsredaktion: Thomas Stark, Maitenbeth
Druck und Bindung: Ludwig Auer GmbH, Donauwörth
Printed in Germany
ISBN 978–3–19–001699–0

Inhaltsverzeichnis

Vorwort

Fit für den TestDaF wendet sich an alle Lernerinnen und Lerner, die sich gezielt
auf den **Test Deutsch als Fremdsprache – TestDaF** – vorbereiten wollen.
Mit *Fit für den TestDaF* können Sie sich also sprachlich auf das Studium in Deutschland und auf den TestDaF vorbereiten.

Inhaltlich ist *Fit für den TestDaF* an das Online-Sprachprogramm *uni-deutsch.de* und
das *Prüfungstraining TestDaF* angelehnt. Die Aufgaben wurden hier für die Buchform
modifiziert und sind daher nicht ganz identisch.

Mit den umfangreichen Übungsaufgaben zu allen Teilprüfungen können Sie Ihre bisherigen Lernfortschritte in den vier Fertigkeiten – Leseverstehen, Hörverstehen, Schriftlicher
und Mündlicher Ausdruck – festigen oder vertiefen und noch vorhandene Lücken schließen. Außerdem erhalten Sie wertvolle Hinweise zu *Lösungsstrategien* für die erfolgreiche
Bearbeitung der Testaufgaben in der Prüfung.

Fit für den TestDaF ist **das** Prüfungstraining für den TestDaF. Es hat folgende Elemente:

- eine **Selbsteinschätzung**, die Ihnen hilft, individuelle Stärken und Schwächen
  festzustellen
- **Übungsaufgaben** zu allen **TestDaF-Teilprüfungen** mit Lösungsstrategien, damit
  Sie alle Aufgabentypen und ihre richtige Bearbeitung genau kennenlernen und
  trainieren können
- einen **authentischen und autorisierten TestDaF-Prüfungssatz**, mit dem Sie
  die Prüfungssituation simulieren und Ihre Leistung genau einschätzen können
- **eine CD** mit allen Hörtexten und Aufgaben zum Mündlichen Ausdruck
- die **Transkriptionen der Hörtexte** zum Nacharbeiten
- ein **Lösungsheft** zur selbstständigen Kontrolle Ihrer Leistungen.

Die vertiefenden Online-Kurse für das *Prüfungstraining* zu diesem Buch können Sie direkt
unter www.uni-deutsch.de/testdaf buchen. Falls Sie sich noch intensiver vorbereiten oder
später weiterbilden wollen, finden Sie unter www.deutsch-uni.com ein breites Angebot
an vorbereitenden und weiterführenden Deutschkursen. Unter www.testdaf.de erhalten
Sie außerdem eine Liste aller Testzentren in vielen Ländern, bei denen Sie sich beraten
lassen oder sich für die Prüfung anmelden können.

Fit für den TestDaF ist die Basis für das **gemeinsame Prüfungstraining** von
uni-deutsch.de an der **Ludwig-Maximilians-Universität München**, **Goethe-Institut**
und **TestDaF-Institut**.

Herausgeber und Verlag

Selbsteinschätzung

1. Was ist eine Selbsteinschätzung?

Wie gut sprechen Sie deutsch? Was würden Sie sagen, wenn Sie jemand fragt?
Gut – sehr gut – fließend – Lesen gut – Sprechen, ... na ja?
Das hier vorliegende Angebot zur Selbsteinschätzung soll Ihnen helfen, Ihre Fertigkeiten besser einzuschätzen und detaillierte Aussagen über Ihr Können in den vier Fertigkeiten zu geben. Nach dem „Gemeinsamen europäischen Referenzrahmen für Sprachen" kann man die Sprachniveaus in „elementare Sprachverwendung" (Niveaus A1 und A2), „selbstständige Sprachverwendung" (Niveaus B1 und B2) und „kompetente Sprachverwendung" (Niveaus C1 und C2) einteilen. Wenn Sie das „Zertifikat Deutsch" haben, dann heißt das, dass Sie in allen vier Fertigkeiten mindestens das Niveau B1 erreicht haben. Um den TestDaF gut bestehen zu können, brauchen Sie Fertigkeiten mindestens auf dem Niveau B2, besser auf dem Niveau C1. Mit dem Übungsangebot in *Fit für den TestDaF* trainieren Sie Ihre sprachlichen Fertigkeiten gezielt. Mithilfe der Selbsteinschätzung können Sie Ihre Fortschritte laufend überprüfen.

Was schätzen Sie ein?

Hier haben Sie die Möglichkeit, Ihren Lernfortschritt für die folgenden vier Fertigkeiten selbst zu beurteilen:

- Leseverstehen,
- Hörverstehen,
- Schriftlicher Ausdruck,
- Mündlicher Ausdruck.

Wann machen Sie die Selbsteinschätzung?

Sie können selber entscheiden, wann Sie die Selbsteinschätzung machen. Es empfiehlt sich, die erste Einschätzung vor Beginn des Trainings zu machen. Weitere können Sie dann auch zwischendurch machen.

Wie gehen Sie mit der Selbsteinschätzung um?

Die Selbsteinschätzung soll Ihnen helfen zu beurteilen, wo Ihre Stärken und wo Ihre Schwächen liegen. Mithilfe der Selbsteinschätzung können Sie planen, auf welchem Gebiet Sie sich verbessern wollen, und sich leichter Ziele setzen.
Machen Sie sich während des Lernens einen Lernplan. Überlegen Sie sich, worauf Sie Gewicht legen möchten.

2. Beginnen Sie nun Ihre Selbsteinschätzung

Lesen

Niveau		**Kann ich ...**			
		nicht	manchmal	meistens	immer
B1	Ich kann viele Texte zu Themen des Alltagslebens (z.B. Familie, Hobbys, Interessen, Arbeit, Reisen, Tagesereignisse) verstehen.	☐	☐	☐	☐
B1	Ich kann unkomplizierte Texte über Themen, die mit meinen Fach- oder Interessengebieten in Zusammenhang stehen, ausreichend verstehen.	☐	☐	☐	☐
B2	Ich kann in Texten zu Themen aus dem eigenen Fach- oder Interessengebiet Informationen, Argumente oder Meinungen in wesentlichen Teilen verstehen.	☐	☐	☐	☐
B2	Ich kann in längeren Texten, die mich interessieren, nicht nur den Informationsgehalt, sondern auch Standpunkte und Einstellungen der Verfasser verstehen.	☐	☐	☐	☐
B2	Ich kann in komplexeren Texten zu konkreten und abstrakten Themen die Hauptinhalte verstehen und für mich relevante Informationen entnehmen.	☐	☐	☐	☐
C1	Ich kann längere, anspruchsvolle Texte verstehen und mündlich zusammenfassen.	☐	☐	☐	☐
C1	Ich kann lange, komplexe Texte im Detail verstehen, auch wenn diese nicht meinem eigenen Spezialgebiet angehören, sofern ich besonders schwierige Passagen mehrmals lesen kann.	☐	☐	☐	☐

Hören

Niveau		Kann ich ...			
		nicht	manchmal	meistens	immer
B1	Ich kann in längeren Texten die Hauptaussagen verstehen, wenn klare Standardsprache gesprochen wird und wenn es um vertraute Dinge aus den Bereichen Arbeit, Schule, Freizeit usw. geht.	☐	☐	☐	☐
B1	Ich kann relativ flüssig ein Telefonat als Auskunft suchende oder Auskunft gebende Person führen.	☐	☐	☐	☐
B1	Ich kann vielen Radio- oder Video-Beiträgen über aktuelle Ereignisse und über Themen aus meinem Interessengebiet die Hauptinformation entnehmen, wenn relativ langsam und deutlich gesprochen wird.	☐	☐	☐	☐
B2	Ich kann die Hauptaussagen von längeren Redebeiträgen und Vorträgen aus dem eigenen Fach- oder Interessengebiet verstehen und auch komplexerer Argumentation folgen, wenn mir das Thema einigermaßen vertraut ist und der Rede- und Gesprächsverlauf durch explizite Signale gekennzeichnet ist.	☐	☐	☐	☐
B2	Ich kann im Fernsehen und im Radio auch bei anspruchsvolleren Sendungen wie Nachrichten, aktuellen Reportagen, Interviews oder Talkshows die wesentlichen Informationen verstehen.	☐	☐	☐	☐
B2	Ich kann auch in Telefongesprächen Bezug auf den Gesprächspartner nehmen und sprachlich komplexere Situationen bewältigen.	☐	☐	☐	☐
C1	Ich kann Vorlesungen, Reden und Berichte im Rahmen meines Studiums verstehen, auch wenn sie inhaltlich und sprachlich komplex sind.	☐	☐	☐	☐
C1	Ich kann ein breites Spektrum von Tonaufnahmen und Radiosendungen verstehen, auch wenn nicht unbedingt Standardsprache gesprochen wird.	☐	☐	☐	☐

Schreiben

Niveau		nicht	manchmal	meistens	immer
			Kann ich ...		

B1 Ich kann zu einem vertrauten Thema Notizen machen, die für meinen späteren Gebrauch ausreichend genau sind.

B1 Ich kann unkomplizierte Texte selbstständig zusammenfassen.

B1 Ich kann ausreichend genau über Erfahrungen und Ereignisse berichten und dabei Reaktionen und Meinungen beschreiben.

B1 Ich kann über ein vertrautes Thema einen gegliederten Text schreiben und die Hauptpunkte deutlich hervorheben.

B1 Ich kann gebräuchliche Formulare ausfüllen.

B2 Ich kann mir während eines Gesprächs oder einer Präsentation im eigenen Fach- oder Interessengebiet Notizen machen.

B2 Ich kann über eine Vielzahl von Themen, die mich interessieren, klare und detaillierte Texte schreiben.

B2 Ich kann von Artikeln oder Beiträgen zu Themen von allgemeinem Interesse eine Zusammenfassung schreiben.

B2 Ich kann in Texten zu Themen aus meinem Fach- oder Interessengebiet eine Argumentation aufbauen und die einzelnen Argumente aufeinander beziehen.

B2 Ich kann komplexe Formulare oder Fragebogen ausfüllen und darin auch freie Angaben formulieren.

C1 Ich kann in einem Kommentar zu einem Thema oder einem Ereignis verschiedene Standpunkte darstellen, dabei die Hauptpunkte hervorheben und meine Argumentation durch ausführliche Beispiele verdeutlichen.

C1 Ich kann klare, gut strukturierte Texte zu komplexen Themen verfassen und dabei die entscheidenden Punkte hervorheben, Standpunkte ausführlich darstellen und durch Unterpunkte oder geeignete Beispiele oder Begründungen stützen und den Text durch einen angemessenen Schluss abrunden.

Sprechen

Niveau		Kann ich ...			
		nicht	*manchmal*	*meistens*	*immer*
B1	Ich kann ohne Vorbereitung an Gesprächen über Themen teilnehmen, die mir vertraut sind, die mich persönlich interessieren oder die sich auf Themen des Alltags wie Familie, Hobbys, Arbeit, Reisen, aktuelle Ereignisse beziehen.	☐	☐	☐	☐
B1	Ich kann Informationen über bekannte Themen oder aus meinem Fach- oder Interessengebiet austauschen.	☐	☐	☐	☐
B1	Ich kann meine Meinung sagen und Vorschläge machen, wenn es darum geht, Probleme zu lösen oder praktische Entscheidungen zu treffen.	☐	☐	☐	☐
B1	Ich kann jemanden in einer einfachen Angelegenheit beraten und kann mich über einfache Sachverhalte beschweren.	☐	☐	☐	☐
B2	Ich kann in meinem Fach- oder Interessengebiet mit einer gewissen Sicherheit eine größere Anzahl von komplexen Sachinformationen und Ratschlägen verstehen und austauschen.	☐	☐	☐	☐
B2	Ich kann mich in vertrauten Situationen aktiv an Gesprächen und Diskussionen beteiligen und meine Ansichten mit Erklärungen, Argumenten oder Kommentaren begründen und verteidigen.	☐	☐	☐	☐
B2	Ich kann eine vorbereitete Präsentation oder ein Referat gut verständlich vortragen.	☐	☐	☐	☐
C1	Ich kann mündlich etwas ausführlich darstellen oder berichten, dabei Themenpunkte miteinander verbinden, einzelne Aspekte besonders ausführen und meinen Beitrag angemessen abschließen.	☐	☐	☐	☐
C1	Ich kann in einer Debatte leicht mithalten, auch wenn abstrakte, komplexe und wenig vertraute Themen behandelt werden.	☐	☐	☐	☐
C1	Ich kann überzeugend eine Position vertreten, Fragen und Kommentare beantworten sowie auf komplexe Gegenargumente flüssig, spontan und angemessen reagieren.	☐	☐	☐	☐

3. Erstellen Sie nun Ihren eigenen Lernplan

Mein Lernplan

Schwerpunkte	Was?	Wie lange?	Wie? / Mit welchem Material?	Mit wem? / Allein?	Plan ausgeführt?	Wie? / Warum nicht?
Woche / Zeitraum / Tageszeit						
Thema (inhaltlich)						
Leseverstehen						
Hörverstehen						
Schriftlicher Ausdruck						
Mündlicher Ausdruck						

4. Reflexion

Wir empfehlen, den Lernplan in Verbindung mit einer Reflexion zu machen.
Denken Sie dabei über Ihr Lernen und die zuletzt von Ihnen bearbeiteten Übungsaufgaben in *Fit für den TestDaF* nach. Diese Fragen können Ihnen dabei helfen:

1. Welche inhaltlichen und sprachlichen Themen waren neu? Welche waren Ihnen bekannt?

_____

_____

_____

2.   Welche Aufgaben haben Ihren persönlichen Erfahrungen entsprochen?

_____

_____

_____

3.   Kreuzen Sie an. Sie fanden die Aufgaben überwiegend …

sinnvoll	☐	☐	☐	☐	☐	sinnlos
interessant	☐	☐	☐	☐	☐	langweilig
gut	☐	☐	☐	☐	☐	schlecht
angenehm	☐	☐	☐	☐	☐	unangenehm
einfach	☐	☐	☐	☐	☐	schwierig

4.   Welche Aufgaben fanden Sie für Ihre Ziele wichtig, welche unwichtig?

_____

_____

_____

5.   Wie beurteilen Sie sich?

Stimmt:	nie	manchmal	oft	immer
Ich lerne gerne alleine.	■	■	■	■
Es macht Spaß, mit anderen Menschen Aufgaben zu bearbeiten.	■	■	■	■
Feedback durch andere ist hilfreich.	■	■	■	■

6.   Wann lernen Sie am besten?

	morgens	mittags	nachmittags	abends	nachts	egal
Sprechen	■	■	■	■	■	■
Schreiben	■	■	■	■	■	■
Hören	■	■	■	■	■	■
Lesen	■	■	■	■	■	■

7.   Wie lange üben Sie?

Minuten pro Woche

Mündlicher Ausdruck: _____   Hörverstehen: _____

Schriftlicher Ausdruck: _____   Leseverstehen: _____

Wie sieht die Prüfung TestDaF aus?

Alle Themen und Aufgaben dieser Prüfung haben mit dem Bereich Hochschule zu tun, da der TestDaF für Studienbewerber aller Fachrichtungen gilt.

Die Prüfung TestDaF besteht aus vier Teilen:
– Leseverstehen
– Hörverstehen
– Schriftlicher Ausdruck
– Mündlicher Ausdruck

Leseverstehen

In diesem Prüfungsteil sollen Sie zeigen, dass Sie Lesetexte, die einen thematischen und sprachlichen Bezug zum Bereich Hochschule haben, verstehen können. Sie sollen Aufgaben bearbeiten, die das Verstehen von Gesamtzusammenhängen und Einzelheiten sowie nicht direkt ausgedrückten Informationen verlangen. Es gibt drei Lesetexte. Diese Texte sind unterschiedlich schwierig, gehören zu verschiedenen Textsorten und haben unterschiedliche Aufgabentypen. Der Prüfungsteil „Leseverstehen" dauert 60 Minuten.

Hörverstehen

In diesem Prüfungsteil sollen Sie zeigen, dass Sie Hörtexte, die einen thematischen und sprachlichen Bezug zum Bereich Hochschule haben, verstehen können. Sie sollen Aufgaben bearbeiten, die das Verstehen von Gesamtzusammenhängen und Einzelheiten sowie nicht direkt ausgedrückten Informationen verlangen. Es gibt drei Hörtexte. Diese Texte sind unterschiedlich schwierig, gehören zu verschiedenen Textsorten und haben unterschiedliche Aufgabentypen. Der Prüfungsteil „Hörverstehen" dauert 40 Minuten.

Schriftlicher Ausdruck

In diesem Prüfungsteil sollen Sie zeigen, dass Sie zu einem bestimmten Thema einen zusammenhängenden und klar aufgebauten Text schreiben können. In dem ersten Abschnitt des Textes sollen Sie eine Grafik, zum Beispiel eine Tabelle, beschreiben. In dem zweiten Abschnitt des Textes sollen Sie zu einer Diskussionsfrage Stellung nehmen. Der Prüfungsteil „Schriftlicher Ausdruck" dauert 60 Minuten.

Mündlicher Ausdruck

In diesem Prüfungsteil sollen Sie zeigen, dass Sie in verschiedenen Situationen an der Hochschule sprachlich handeln können. Der Prüfungsteil besteht aus insgesamt sieben Aufgaben, die unterschiedlich schwierig sind.
Der Prüfungsteil „Mündlicher Ausdruck" ist kassettengesteuert, das heißt, Sie sprechen nicht mit einem Prüfer, wie Sie es wahrscheinlich aus dem Unterricht kennen. Die Prüfung findet in der Regel in einem Sprachlabor statt. Sie hören die Aufgaben von der Kassette und können sie gleichzeitig im Aufgabenheft lesen. Ihre Antworten sprechen Sie auf eine zweite Kassette. Damit soll erreicht werden, dass auch die mündliche Prüfung möglichst objektiv ist. Sie sollten vor der Teilnahme an der Prüfung einmal üben, Ihre Gedanken auf eine Kassette zu sprechen. Der Prüfungsteil „Mündlicher Ausdruck" dauert 30 Minuten.

Aufbau der Übungsaufgaben zum Lese- und zum Hörverstehen

Für die Prüfungsteile Leseverstehen und Hörverstehen finden Sie zu jeder Prüfungsaufgabe von TestDaF jeweils zwei Übungsaufgaben.

Die erste Übungsaufgabe zeigt Ihnen Schritt für Schritt den Aufbau der Aufgabe. Die Übungen vermitteln mögliche Lösungswege in der Reihenfolge, die Sie auch in der Prüfung anwenden können. Die zweite Übungsaufgabe dient der Einübung der Lösungsstrategien und wiederholt unter anderem Strategien zur Texterschließung an konkreten Beispielen. Außerdem werden Hilfestellungen zum Lösen der einzelnen Items gegeben und die Lösungen erklärt.

Zusätzliche Wortschatzübungen erleichtern das Verständnis der schwierigeren Lesetexte und der Hörtexte. Nach den beiden Übungsaufgaben finden Sie Tipps für die Bearbeitung jedes Aufgabentyps.

Wie Sie mit den Übungsaufgaben arbeiten können

Wenn Sie die erste Übungsaufgabe eines Prüfungsteils bearbeiten, sollten Sie als Erstes einmal zügig die vollständige Aufgabe lesen und anschließend die Übungen bearbeiten. Kontrollieren Sie Ihre Antworten zu den Übungen mit Hilfe des Lösungsschlüssels. Lesen Sie erst dann die Erklärungen. Zu einigen Items finden Sie keine gesonderten Übungen, damit Sie beim Lösen der Gesamtaufgabe sehen können, ob Sie ohne Hilfestellung die richtige Lösung finden.

Bearbeiten Sie nach ein paar Tagen die vollständige Übungsaufgabe noch einmal selbstständig, ohne weitere Hilfsmittel, um Ihren Lernerfolg zu kontrollieren. Richten Sie sich bei den Übungsaufgaben zum Leseverstehen nach den Zeitvorgaben, die Sie zu jeder Übungsaufgabe finden. Da die Übungsaufgaben zum Teil kürzer sind als die Originalaufgaben von TestDaF, ist auch die empfohlene Zeit zum Lösen der Übungsaufgaben entsprechend kürzer.

Wenn Sie möchten, können Sie bei der zweiten Übungsaufgabe zu jedem Prüfungsteil die Reihenfolge der Bearbeitung ändern. Sie können zuerst einmal die vollständige Aufgabe lösen und dann Ihre Antworten mithilfe der Übungen, der Erklärungen und des Lösungsschlüssels kontrollieren. Sie können aber auch wie bei der ersten Übungsaufgabe die Übungen bearbeiten, bevor Sie die vollständige Aufgabe lösen.

Allgemeines zum Prüfungsteil Leseverstehen

Aufbau und Ablauf

Sie erhalten zu Beginn des Prüfungsteils folgende Unterlagen:
- 1 Aufgabenheft
- 1 Antwortblatt

Anleitung zum Prüfungsteil

Lesetext 1	10 Items	10 Min. Bearbeitungszeit
Lesetext 2	10 Items	20 Min. Bearbeitungszeit
Lesetext 3	10 Items	20 Min. Bearbeitungszeit

Zeit zum Übertragen der Lösungen auf das Antwortblatt: 10 Min.

Der Prüfungsteil Leseverstehen besteht aus einer kurzen Anleitung und drei Aufgaben. Jede Aufgabe besteht aus einem längeren bzw. mehreren kurzen Lesetexten und Items (Fragen oder Aussagen) dazu. Die Aufgaben sind unterschiedlich schwierig. Am leichtesten ist die erste Aufgabe, am schwierigsten die dritte.
Welche Aufgabe Sie während der Prüfung zuerst bearbeiten wollen, können Sie selbst entscheiden. In der Regel beginnt man mit der ersten Aufgabe.
Man kann die Aufgaben ohne Fachkenntnisse bearbeiten. Man muss also keine besonderen Vorkenntnisse über das Thema der Lesetexte haben, um die Aufgaben zu lösen.

Bitte schreiben Sie Ihre Antworten zunächst in das Aufgabenheft und übertragen Sie sie am Ende des Prüfungsteils auf Ihr Antwortblatt. Für das Übertragen haben Sie zusätzlich 10 Minuten Zeit. Dabei können Sie natürlich Ihre Antworten noch einmal verändern. Gewertet wird nur das, was Sie auf dem Antwortblatt markiert haben. Seien Sie bitte sorgfältig beim Übertragen der Lösungen, denn das Antwortblatt wird maschinell gelesen und ausgewertet.

Um Ihre Leistung im Prüfungsteil Leseverstehen einzustufen, wird die Anzahl der richtigen Lösungen errechnet. Die Summe der richtigen Lösungen entscheidet also, welche Niveaustufe Sie im Leseverstehen erreichen. Deshalb sollten Sie auf jeden Fall alle drei Aufgaben bearbeiten.

Leseverstehen 1

Die erste Aufgabe zum Leseverstehen prüft, ob Sie Kurztexten aus dem studentischen Alltag, z. B. aus Vorlesungsverzeichnissen, Veranstaltungskalendern oder Wohnungsanzeigen schnell die wichtigsten Informationen entnehmen können. Die Prüfungsaufgabe besteht aus 8 Kurztexten und 10 Aussagen dazu, den so genannten Items. Sie sollen entscheiden, welches Item zu welchem Text passt, und notieren dann den passenden Buchstaben hinter dem Item.

Wichtig: Für zwei Items (Personen) gibt es keinen passenden Text. Dort müssen Sie den Buchstaben *I* hinter das Item schreiben.

Erste Übungsaufgabe

Leseverstehen 1: Items 1–7	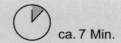 ca. 7 Min.

Studium Generale

Sie suchen für einige Bekannte eine passende Veranstaltung an der Universität.

Schreiben Sie den Buchstaben für die passende Veranstaltung hinter die Nummer. Jede Veranstaltung kann nur einmal gewählt werden. Es gibt nicht für jede Person eine Veranstaltung. Gibt es für eine Person keine passende Veranstaltung, schreiben Sie den Buchstaben *I*. Die Veranstaltung im Beispiel kann nicht mehr gewählt werden.

Sie suchen eine Veranstaltung für …

(01)	… einen Romanistikstudenten, der seine Abschlussarbeit über die deutsch-spanischen Handelsbeziehungen schreibt.	*F*
(02)	… eine spanische Journalistikstudentin, die in einer spanischen Studentenzeitung über Deutschland schreiben möchte.	*I*
1	… eine Mitstudentin, die für ihr Studium Lateinkenntnisse nachweisen muss.	▪
2	… einen Mitstudenten, der seinen Referatsstil verbessern möchte.	▪
3	… eine spanische Informatikstudentin, die an einem Übersetzungsprogramm Deutsch–Spanisch arbeitet.	▪
4	… eine Freundin, die sich für lateinische Literatur in der Originalfassung interessiert.	▪
5	… eine Mitstudentin, die zur Verbesserung ihrer Berufschancen anfangen möchte, Spanisch zu lernen.	▪
6	… eine Mitstudentin, die sich für die Entwicklung der Rhetorik von der Antike bis zur Gegenwart interessiert.	▪
7	… einen Sprachwissenschaftler, der die Entwicklung der italienischen und der spanischen Sprache untersucht.	▪

Veranstaltungen des Studium Generale

A

Studierende aller Fachrichtungen können an einem Rhetorikkurs teilnehmen. In diesem Kurs machen Sie spezielle Übungen zu Kurzvorträgen. Besondere Vortragsformen an der Universität werden besprochen. Maximale Teilnehmerzahl: 15.

Freitag, 15. November, 14–20 Uhr
Samstag, 16. November, 10–16 Uhr
Raum 1087

B

Der Lehrstuhl für klassische Philologie beginnt im Wintersemester wieder mit der Vorbereitung auf die Lateinprüfung. In drei Semestern können Sie die Prüfung zum Latinum ablegen. Diese Prüfung wird von allen Fachbereichen anerkannt.

Mo 12.00–14.00 Uhr
Mi 12.00–14.00 Uhr
Raum 1087 a

C

Das Sprachenzentrum bietet im Rahmen der studienbegleitenden Ausbildung Spanischkurse für Anfänger an. Nach der Teilnahme an den Aufbaukursen können Sie das Allgemeine Fremdsprachenzertifikat machen. Keine Vorkenntnisse notwendig.

Anmeldung: 07.10.
Raum 2087 a
15.00 Uhr

D

Das Institut für Europäische Kulturgeschichte veranstaltet eine Ringvorlesung über „große Rhetoriker" und ihre Zeit. Wissenschaftler verschiedener Fächer sprechen über die Geschichte der Vortragskunst. Sie stellen große Redner aus unterschiedlichen Kulturen und verschiedenen Jahrhunderten vor.

Jeweils am 1. Montag des Monats, 19.00 Uhr
Hörsaal 1

E

Der Lehrstuhl für klassische Philologie bietet eine Vortragsreihe mit dem Titel „Klassiker und ihre Sprache" an. An vier Abenden werden Texte in lateinischer Sprache vorgetragen und anschließend interpretiert. Auch für Studierende mit geringen Lateinkenntnissen geeignet.

Jeweils am ersten Mittwoch des Monats, ab 9.10.
20.00 Uhr in Raum 1067

F

Das Sprachenzentrum bietet erstmals einen Kurs zur Wirtschaftssprache Spanisch an. Im Kurs übersetzen wir Zeitungstexte zu wirtschaftlichen Themen ins Deutsche. Anschließend diskutieren wir über diese Texte. Gute Spanischkenntnisse und Grundkenntnisse in Wirtschaftswissenschaft sind erforderlich.

2 SWS, Mi 16.00 Uhr,
Anmeldung: Raum 2086

Die Arbeitsanweisung

Die erste Aufgabe zum Leseverstehen beginnt mit einer Überschrift und einer kurzen Arbeitsanweisung. Die Arbeitsanweisung ist in allen Prüfungen sehr ähnlich. Nur die Textstellen, die in der folgenden Arbeitsanweisung unterstrichen sind, verändern sich:

Studium Generale

Sie suchen für einige Bekannte eine passende <u>Veranstaltung an der Universität</u>.

Schreiben Sie den Buchstaben für die passende <u>Veranstaltung</u> hinter die Nummer.
Jede <u>Veranstaltung</u> kann nur einmal gewählt werden. Es gibt nicht für jede <u>Person eine Veranstaltung</u>. Gibt es für eine <u>Person keine passende Veranstaltung</u>, schreiben Sie den Buchstaben *I*. <u>Die Veranstaltung</u> im Beispiel kann nicht mehr gewählt werden.

 In der Prüfung sollten Sie daher vor allem auf die Überschrift achten und brauchen die Arbeitsanweisung nur kurz zu überfliegen.

Schlüsselwörter in den Items suchen

Bereits beim ersten Lesen sollten Sie die Wörter markieren, die die Hauptinformation der Items enthalten, die sogenannten Schlüsselwörter. Diese Schlüsselwörter zeigen Ihnen, welche Informationen Sie in den Texten suchen müssen. Sie sind wie ein Schlüssel zum Lösen der Aufgabe.
Um diese Schlüsselwörter zu finden, fragen Sie:

Wer sucht etwas?
Was möchte die Person machen?
Warum möchte die Person das machen?
Wo möchte die Person das machen?
Welches Problem hat die Person in dem Item?
Wofür interessiert sich die Person besonders?

Beispiel: Markieren von Schlüsselwörtern in den Items

(01)	… einen <u>Romanistikstudenten</u>, der seine <u>Abschlussarbeit</u> über die <u>deutsch-spanischen Handelsbeziehungen</u> schreibt.	*F*
(02)	… eine <u>spanische Journalistikstudentin</u>, die in einer <u>spanischen Studentenzeitung</u> über <u>Deutschland</u> schreiben möchte.	*I*

Item (01)	Wer?	Romanistikstudent
	Was?	Abschlussarbeit
	Wofür interessiert er sich?	Handelsbeziehungen: Spanien – Deutschland
Item (02)	Wer?	spanische Journalistikstudentin
	Was?	Artikel über Deutschland für spanische Studentenzeitung

Oft sind die Schlüsselwörter Nomen, manchmal auch Verben oder Adjektive.
Markieren Sie nun selbst die Schlüsselwörter in den Items.

Ü 1   **Markieren Sie die Schlüsselwörter in den Items.**

Sie suchen eine Veranstaltung für …

1	… eine Mitstudentin, die für ihr Studium Lateinkenntnisse nachweisen muss.
2	… einen Mitstudenten, der seinen Referatsstil verbessern möchte.
3	… eine spanische Informatikstudentin, die an einem Übersetzungsprogramm Deutsch–Spanisch arbeitet.
4	… eine Freundin, die sich für lateinische Literatur in der Originalfassung interessiert.
5	… eine Mitstudentin, die zur Verbesserung ihrer Berufschancen anfangen möchte, Spanisch zu lernen.
6	… eine Mitstudentin, die sich für die Entwicklung der Rhetorik von der Antike bis zur Gegenwart interessiert.
7	… einen Sprachwissenschaftler, der die Entwicklung der italienischen und der spanischen Sprache untersucht.

Tipp

Wenn die Person in dem Item eine Freundin, ein Bekannter oder ein Mitstudent ist, müssen Sie diese Information für die Lösung nicht beachten. Wenn ein Studienfach oder ein Beruf angegeben wird (Journalistikstudentin, Sprachwissenschaftler), dann ist das ein Hinweis auf den Text, der zu dem Item passt.

Items unterscheiden

Einige Items sind sehr ähnlich. Um die richtige Lösung zu finden, müssen Sie diese Items miteinander vergleichen. Markieren Sie deshalb die Nummer der Items, in denen nach ähnlichen Informationen gefragt wird.

Beispiel:

1	… eine Mitstudentin, die <u>für ihr Studium Lateinkenntnisse nachweisen</u> muss.
4	… eine Freundin, die sich für <u>lateinische Literatur in der Originalfassung</u> interessiert.

Erklärung:

Beide Items beziehen sich auf die Lateinkenntnisse. Im ersten Item aber muss die Studentin nachweisen, dass sie Latein kann. Dazu muss sie einen Leistungsnachweis haben. Den erhält sie, wenn sie eine Prüfung in Latein gemacht hat. In Item 4 interessiert sich jemand für lateinische Literatur im Original. Das heißt, diese Freundin kann Latein und möchte Texte auf Lateinisch (= Originalfassung) hören und lesen. Sie muss aber keine Prüfung vorbereiten.

 Ü 2   **Markieren Sie in Ü 1 die Nummern der Items, in denen nach ähnlichen Informationen gefragt wird. Markieren Sie Items zur Rhetorik gelb und Items zur spanischen Sprache blau.**

Schlüsselwörter in den Kurztexten suchen

Nachdem Sie alle Items gelesen und die Schlüsselwörter markiert haben, sollten Sie alle Kurztexte lesen und bereits beim ersten Lesen die Schlüsselwörter markieren.
Fragen Sie sich bei den Kurztexten:

Was wird angeboten?
Für wen wird etwas angeboten?
Warum nimmt man an der Veranstaltung teil?
Welche Voraussetzungen braucht man zur Teilnahme?

Beispiel   **für Schlüsselwörter im Kurztext**

F

Das Sprachenzentrum bietet erstmals einen Kurs zur <u>Wirtschaftssprache Spanisch</u> an. Im Kurs <u>übersetzen</u> wir Zeitungstexte zu <u>wirtschaftlichen</u> Themen <u>ins Deutsche</u>. Anschließend diskutieren wir über diese Texte. <u>Gute Spanischkenntnisse</u> und <u>Grundkenntnisse in Wirtschaftswissenschaft</u> sind erforderlich.
2 SWS, Mi 16.00 Uhr
Anmeldung: Raum 2086

Tipp für die Prüfung

Den Text, der zu dem Beispiel-Item passt (im Übungstest ist das Text F), müssen Sie in der Prüfung nicht lesen. Er kann nicht noch einmal zugeordnet werden. Streichen Sie in der Prüfung diesen Text gleich durch. Markieren Sie in den anderen Texten die Schlüsselwörter.

Ü3   **Markieren Sie die Schlüsselwörter in den Kurztexten.**

A

Studierende aller Fachrichtungen können an einem Rhetorikkurs teilnehmen. In diesem Kurs machen Sie spezielle Übungen zu Kurzvorträgen. Besondere Vortragsformen an der Universität werden besprochen. Maximale Teilnehmerzahl: 15.

Freitag, 15. November, 14–20 Uhr
Samstag, 16. November, 10–16 Uhr
Raum 1087

B

Der Lehrstuhl für klassische Philologie beginnt im Wintersemester wieder mit der Vorbereitung auf die Lateinprüfung. In drei Semestern können Sie die Prüfung zum Latinum ablegen. Diese Prüfung wird von allen Fachbereichen anerkannt.

Mo 12.00–14.00 Uhr
Mi 12.00–14.00 Uhr
Raum 1087 a

C

Das Sprachenzentrum bietet im Rahmen der studienbegleitenden Ausbildung Spanischkurse für Anfänger an. Nach der Teilnahme an den Aufbaukursen können Sie das Allgemeine Fremdsprachenzertifikat machen. Keine Vorkenntnisse notwendig.

Anmeldung: 07.10.
Raum 2087 a, 15.00 Uhr

D

Das Institut für Europäische Kulturgeschichte veranstaltet eine Ringvorlesung über „große Rhetoriker" und ihre Zeit. Wissenschaftler verschiedener Fächer sprechen über die Geschichte der Vortragskunst. Sie stellen große Redner aus unterschiedlichen Kulturen und verschiedenen Jahrhunderten vor.

Jeweils am 1. Montag des Monats, 19.00 Uhr
Hörsaal 1

E

Der Lehrstuhl für klassische Philologie bietet eine Vortragsreihe mit dem Titel „Klassiker und ihre Sprache" an. An vier Abenden werden Texte in lateinischer Sprache vorgetragen und anschließend interpretiert. Auch für Studierende mit geringen Lateinkenntnissen geeignet.

Jeweils am ersten Mittwoch des Monats, ab 9.10.
20.00 Uhr in Raum 1067

F

Das Sprachenzentrum bietet erstmals einen Kurs zur Wirtschaftssprache Spanisch an. Im Kurs übersetzen wir Zeitungstexte zu wirtschaftlichen Themen ins Deutsche. Anschließend diskutieren wir über diese Texte.
Gute Spanischkenntnisse und Grundkenntnisse in Wirtschaftswissenschaft sind erforderlich.

2 SWS, Mi 16.00 Uhr,
Anmeldung: Raum 2086

> **Beispiel (01):**
>
> ... einen Romanistikstudenten, der seine Abschlussarbeit über die deutsch-spanischen Handelsbeziehungen schreibt.

Ähnliche Texte kennzeichnen

Kennzeichnen Sie Texte, in denen ähnliche Informationen gegeben werden.
Dann ist es anschließend einfacher, sie den Items zuzuordnen.

 Ü 4 **Markieren Sie in Ü 3 die Buchstaben der Texte, in denen ähnlichen Informationen gegeben werden, mit der gleichen Farbe.** Markieren Sie Texte zur Redekunst gelb, Texte zur lateinischen Sprache rot und Texte zur spanischen Sprache blau.

Den passenden Text finden

Jetzt können Sie die Texte den Items zuordnen.
Vorsicht: Die Formulierungen in den Items und in den Texten sind unterschiedlich.

Beispiel **für die Zuordnung von Texten zu Items**

(01)	... einen <u>Romanistikstudenten</u>, der seine Abschlussarbeit über die <u>deutsch-spanischen Handelsbeziehungen</u> schreibt.	▪
(02)	... eine <u>spanische Journalistikstudentin</u>, die in einer <u>spanischen Studentenzeitschrift über Deutschland</u> schreiben möchte.	▪

Text:

F

Das Sprachenzentrum bietet erstmals einen Kurs zur <u>Wirtschaftssprache Spanisch</u> an. Im Kurs <u>übersetzen</u> wir Zeitungstexte zu <u>wirtschaftlichen Themen ins Deutsche</u>. Anschließend diskutieren wir über diese Texte. <u>Gute Spanischkenntnisse</u> und <u>Grundkenntnisse in Wirtschaftswissenschaft</u> sind erforderlich.

2 SWS, Mi 16.00 Uhr
Anmeldung: Raum 2086

Erklärung:

Item 01: In Item 01 geht es um einen Romanistikstudenten, der bereits am Ende des Studiums ist (Abschlussarbeit) und über ein wirtschaftliches Thema arbeitet (deutsch-spanische Wirtschaftsbeziehungen). Kurz vor dem Studienabschluss hat er gute Spanischkenntnisse, die er aber noch verbessern kann. Für ihn ist der Text F passend.

Item 02: Die spanische Journalistikstudentin aus Item 02 kann vermutlich gut Spanisch. Sie muss das nicht mehr üben. Sie interessiert sich für Deutschland allgemein, nicht speziell für die wirtschaftliche Situation. Für sie ist das Seminar nicht interessant. Deshalb kommt hinter dieses Item der Buchstabe *I*.

 Vergleichen Sie die Schlüsselwörter der Items mit den passenden Texten und ordnen Sie jeden Text einem Item zu.

| 2 | … einen Mitstudenten, der seinen <u>Referatsstil verbessern</u> möchte. | ■ |
| 6 | … eine Mitstudentin, die sich für die <u>Entwicklung der Vortragskunst</u> von der <u>Antike bis zur Gegenwart</u> interessiert. | ■ |

A

Studierende <u>aller Fachrichtungen</u> können an einem <u>Rhetorikkurs</u> teilnehmen. In diesem Kurs machen Sie spezielle Übungen zu <u>Kurzvorträgen</u>. Besondere <u>Vortragsformen an der Universität</u> werden besprochen. Maximale Teilnehmerzahl: 15.

Freitag, 15. November, 14–20 Uhr
Samstag, 16. November, 10–16 Uhr
Raum 1087

D

Das Institut für Europäische Kulturgeschichte veranstaltet eine Ringvorlesung über „<u>große Rhetoriker</u>" und ihre Zeit. Wissenschaftler verschiedener Fächer sprechen über die <u>Geschichte der Vortragskunst</u>. Sie stellen große <u>Redner</u> aus <u>unterschiedlichen Kulturen</u> und <u>verschiedenen Jahrhunderten</u> vor.

Jeweils am 1. Montag des Monats, 19.00 Uhr
Hörsaal 1

Erklärung:

Item 2: Der Student möchte seinen Referatsstil verbessern. Dies kann er durch einen Rhetorik-kurs (= Kurs zur Vortragskunst), in dem man Referate (= Vorträge) übt. Da die Veranstaltung für alle Fachrichtungen offen ist, kann jeder Student teilnehmen.

Item 6: Die Studentin interessiert sich für die Entwicklung der Rhetorik (= Vortragskunst). Für sie ist ein Seminar interessant, in dem die Geschichte der Vortragskunst über mehrere Jahrhunderte dargestellt wird.

 Ü 6   **Ordnen Sie die Texte den passenden Items zu.**

1	… eine Mitstudentin, die für ihr <u>Studium Lateinkenntnisse nachweisen</u> muss.	■
3	… eine spanische Informatikstudentin, die an einem <u>Übersetzungs-programm Deutsch–Spanisch</u> arbeitet.	■
4	… eine Freundin, die sich für <u>lateinische Literatur</u> in der <u>Originalfassung</u> interessiert.	■
5	… eine Mitstudentin, die <u>zur Verbesserung ihrer Berufschancen anfangen</u> möchte, <u>Spanisch</u> zu lernen.	■
7	… einen <u>Sprachwissenschaftler</u>, der die <u>Entwicklung</u> der <u>italienischen</u> und der <u>spanischen</u> Sprache untersucht.	■

B

Der Lehrstuhl für klassische Philologie beginnt im Wintersemester wieder mit der <u>Vorbereitung auf die Lateinprüfung</u>. In drei Semestern können Sie die Prüfung zum Latinum ablegen. Diese Prüfung wird <u>von allen Fachbereichen anerkannt</u>.

Mo 12.00–14.00 Uhr
Mi 12.00–14.00 Uhr
Raum 1087 a

C

Das Sprachenzentrum bietet im Rahmen der studienbegleitenden Ausbildung <u>Spanischkurse für Anfänger</u> an. Nach der Teilnahme an den Aufbau-kursen können Sie das Allgemeine Fremdsprachen-zertifikat machen. <u>Keine Vorkenntnisse notwendig</u>.

Anmeldung: 07.10.
Raum 2087 a
15.00 Uhr

E

Der Lehrstuhl für klassische Philologie bietet eine Vortragsreihe mit dem Titel „<u>Klassiker und ihre Sprache</u>" an. An vier Abenden werden Texte in <u>lateinischer Sprache</u> vorgetragen und anschließend interpretiert. Auch für Studierende mit <u>geringen Lateinkenntnissen geeignet</u>.

Jeweils am ersten Mittwoch des Monats, ab 9.10.
20.00 Uhr in Raum 1067

 Ü 7   **Sie können zur Wiederholung die vollständige Aufgabe (S. 16/17) noch einmal lösen.**

Leseverstehen 1, Zweite Übungsaufgabe

Leseverstehen 1: Items 1–10

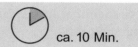

ca. 10 Min.

Spiele und Informationen zum Thema „Gehirn und Kreativität"

Sie suchen für einige Bekannte ein passendes Spiel- oder Informationsangebot zum Thema „Gehirn und Kreativität".

Schreiben Sie den Buchstaben für das passende Angebot in das Kästchen rechts. Jedes Angebot kann nur einmal gewählt werden. Es gibt nicht für jede Person ein geeignetes Angebot. Gibt es für eine Person kein passendes Angebot, schreiben Sie den Buchstaben *I*. Das Angebot im Beispiel kann nicht mehr gewählt werden.

Sie suchen ein Angebot zum Thema „Gehirn und Kreativität" für ...

(01)	... einen Psychologiestudenten, der sich auf ein Proseminar über Gehirnforschung vorbereiten möchte.	*F*
(02)	... einen Wissenschaftler, der erforscht, wie man die Kreativität von Kindern fördern kann.	*I*
1	... eine Psychologin, die Lernprozesse von der Kindheit bis ins hohe Alter optimieren möchte.	▪
2	... einen Bekannten, der sich dafür interessiert, wie besonders kreative Persönlichkeiten gelebt haben.	▪
3	... einen Psychologiestudenten, der Fachbegriffe nachschlagen möchte.	▪
4	... eine Erzieherin, die eine für Kinder geeignete Darstellung der Gehirnfunktionen sucht.	▪
5	... einen Schüler, der seine Konzentrationsfähigkeit verbessern möchte.	▪
6	... einen Biologielehrer, der für seinen Unterricht Material zum Thema „Kreativität" sucht.	▪
7	... einen Bekannten, der das kreative Denken trainieren möchte.	▪
8	... eine Lehramtsstudentin, die sich dafür interessiert, wie man Lernprozesse von Schülern verbessern kann.	▪
9	... einen Psychologiestudenten, der Informationen über die Gehirntätigkeit in der frühen Kindheit sucht.	▪
10	... einen Bekannten, der auf unterhaltsame Weise mit Freunden sein Gedächtnis verbessern möchte.	▪

Leseverstehen 1: Items 1–10

A

„Lernen braucht Bewegung" ist eine Lernkassette für Erwachsene und Kinder. Sie lernen alle Teile des Gehirns kennen. Spielerisch erfahren Sie, wie das Gehirn aufgebaut ist und wie es arbeitet. Es gibt viele Übungen, die spielerisch die Arbeitsweise des Gehirns verdeutlichen. Verlag für angewandte Hirnforschung; 14 Euro.

B

Das Video *„Schöpfer Mensch"* informiert darüber, was Kreativität ist. Warum haben manche Menschen immer neue Ideen? Warum fällt anderen nie etwas ein? Wissenschaftler geben Antworten auf diese Frage. Das Video ist auch für Jugendliche geeignet. Es dauert 40 Minuten und kostet 28 Euro.

C

Im *„Lexikon der Gehirnforschung"* sind 35 000 Stichwörter zum Thema „Gehirnforschung" erklärt. Sie finden Informationen über Psychologie, Erziehung und Kommunikation. Bilder und Grafiken erleichtern das Verständnis der Texte. Auch als CD-ROM erhältlich. Alle 4 Bücher zusammen kosten 596 Euro.

D

„Denk nach!" ist ein Spiel, mit dem Sie Ihr Erinnerungsvermögen trainieren können. Sie können mit 6 Personen spielen. Die Spieler fangen gemeinsam einen Verbrecher. Sie müssen sich viele Informationen merken. Durch das Spielen verbessern Sie Ihre Erinnerungsleistung. Das Spiel kostet 25 Euro.

E

Was denken Babys? Wie entwickelt sich das kindliche Gehirn? Wie sieht und hört ein Baby? Warum erkennen Babys die Stimme ihrer Mutter? Was kann man für die Entwicklung des Gehirns tun? Antworten auf diese Fragen finden Sie in dem Buch *„Die Gehirnentwicklung in den ersten fünf Lebensjahren"*; 29,65 Euro.

F

Das Buch *„Das menschliche Gehirn"* informiert über die Grundlagen und die neuesten Erkenntnisse der Hirnforschung. Beispiele aus dem Alltag zeigen, wie das Gehirn arbeitet. Der Autor erklärt, wie das Gehirn auf unterschiedliche Situationen reagiert. Eine gute Einführung in das Fachgebiet der Hirnforschung; 29,80 Euro.

G

„So genial wie Einstein" heißt ein neues Buch zur Kreativitätsforschung. Im ersten Teil erklärt der Autor den Begriff Kreativität. Im zweiten Teil des Buches wird das Leben berühmter Künstler und einfallsreicher Wissenschaftler dargestellt. So gibt es z. B. Kurzbiographien von Einstein und Picasso; 29 Euro.

H

Es gibt immer mehr Kinder, die nicht gut lesen können. Wie können Pädagogen diesen Kindern helfen? Welche Rolle spielt das Gedächtnis beim Lernen? Wie funktioniert die Wahrnehmung? Kann man Aufmerksamkeit trainieren? Dies sind Fragen, die das Buch *„Lesestörungen"* beantworten möchte; 10,50 Euro.

Schlüsselwörter markieren

Bereits beim ersten Lesen der Items sollten Sie die Schlüsselwörter markieren.
Schlüsselwörter geben Informationen zu den Fragen

Wer?
Was?
Warum?
Wo?

 Ü 1   **Markieren Sie die Schlüsselwörter in den Items.**

(01)	… einen Psychologiestudenten, der sich auf ein Proseminar über Gehirnforschung vorbereiten möchte.
(02)	… einen Wissenschaftler, der erforscht, wie man die Kreativität von Kindern fördern kann.
1	… eine Psychologin, die Lernprozesse von der Kindheit bis ins hohe Alter optimieren möchte.
2	… einen Bekannten, der sich dafür interessiert, wie besonders kreative Persönlichkeiten gelebt haben.
3	… einen Psychologiestudenten, der Fachbegriffe nachschlagen möchte.
4	… eine Erzieherin, die eine für Kinder geeignete Darstellung der Gehirnfunktionen sucht.
5	… einen Schüler, der seine Konzentrationsfähigkeit verbessern möchte.
6	… einen Biologielehrer, der für seinen Unterricht Material zum Thema „Kreativität" sucht.
7	… einen Bekannten, der das kreative Denken trainieren möchte.
8	… eine Lehramtsstudentin, die sich dafür interessiert, wie man Lernprozesse von Schülern verbessern kann.
9	… einen Psychologiestudenten, der Informationen über die Gehirntätigkeit in der frühen Kindheit sucht.
10	… einen Bekannten, der auf unterhaltsame Weise mit Freunden sein Gedächtnis verbessern möchte.

Ähnliche Items markieren

Einige Items sind sehr ähnlich. In der Prüfung sollten Sie ähnliche Items farbig markieren und genau miteinander vergleichen.

Ü2   **Ordnen Sie die Items in Ü1 nach Themenbereichen.**
(Item 7 und Item 9 können Sie zwei Themenbereichen zuordnen.)

Psychologie; Hirnforschung _____

Lernprozesse verbessern/trainieren _____

Kreativität _____

Kind, Arbeitsweise des Gehirns _____

Schlüsselwörter in den Kurztexten markieren

Nach den Items sollten Sie alle Texte lesen. In der Prüfung können Sie den Text, der im Beispiel verwendet wurde, gleich durchstreichen. Diesen Text müssen Sie nicht lesen.
Während Sie die Texte lesen, sollten Sie die Schlüsselwörter in diesen Texten markieren. Lesen Sie alle Texte. Halten Sie sich nicht zu lange bei einem Text auf.
Wenn Sie eine Vermutung haben, zu welchem Item ein Text passen könnte, notieren Sie in der Prüfung bereits beim ersten Lesen die Zahl des Items / der möglichen Items hinter dem Text.

Ü3   **Markieren Sie die Schlüsselwörter in den Kurztexten. Wenn Sie schon eine Vermutung haben, welches Item zu einem Text passen könnte, notieren Sie auch die Nummer des Items hinter dem jeweiligen Text.**

A 4
„Lernen braucht Bewegung" ist eine Lern-kassette für Erwachsene und Kinder. Sie lernen alle Teile des Gehirns kennen. Spiele-risch erfahren Sie, wie das Gehirn aufgebaut ist und wie es arbeitet. Es gibt viele Übungen, die spielerisch die Arbeitsweise des Gehirns verdeutlichen. Verlag für angewandte Hirn-forschung; 14 Euro.

B
Das Video „Schöpfer Mensch" informiert darüber, was Kreativität ist. Warum haben manche Menschen immer neue Ideen? Warum fällt anderen nie etwas ein? Wissen-schaftler geben Antworten auf diese Frage. Das Video ist auch für Jugendliche geeignet. Es dauert 40 Minuten und kostet 28 Euro.

C
Im „Lexikon der Gehirnforschung" sind 35 000 Stichwörter zum Thema „Gehirnfor-schung" erklärt. Sie finden Informationen über Psychologie, Erziehung und Kommunikation. Bilder und Grafiken erleichtern das Verständ-nis der Texte. Auch als CD-ROM erhältlich. Alle 4 Bücher zusammen kosten 596 Euro.

D
„Denk nach!" ist ein Spiel, mit dem Sie Ihr Erinnerungsvermögen trainieren können. Sie können mit 6 Personen spielen. Die Spieler fangen gemeinsam einen Verbrecher. Sie müs-sen sich viele Informationen merken. Durch das Spielen verbessern Sie Ihre Erinnerungs-leistung. Das Spiel kostet 25 Euro.

E

Was denken Babys? Wie entwickelt sich das kindliche Gehirn? Wie sieht und hört ein Baby? Warum erkennen Babys die Stimme ihrer Mutter? Was kann man für die Entwicklung des Gehirns tun? Antworten auf diese Fragen finden Sie in dem Buch „Die Gehirnentwicklung in den ersten fünf Lebensjahren"; 29,65 Euro.

F *Beispiel 01*

Das Buch „Das menschliche Gehirn" informiert über die Grundlagen und die neuesten Erkenntnisse der Hirnforschung. Beispiele aus dem Alltag zeigen, wie das Gehirn arbeitet. Der Autor erklärt, wie das Gehirn auf unterschiedliche Situationen reagiert. Eine gute Einführung in das Fachgebiet der Hirnforschung; 29,80 Euro.

G

„So genial wie Einstein" heißt ein neues Buch zur Kreativitätsforschung. Im ersten Teil erklärt der Autor den Begriff Kreativität. Im zweiten Teil des Buches wird das Leben berühmter Künstler und einfallsreicher Wissenschaftler dargestellt. So gibt es z. B. Kurzbiographien von Einstein und Picasso; 29 Euro.

H

Es gibt immer mehr Kinder, die nicht gut lesen können. Wie können Pädagogen diesen Kindern helfen? Welche Rolle spielt das Gedächtnis beim Lernen? Wie funktioniert die Wahrnehmung? Kann man Aufmerksamkeit trainieren? Dies sind Fragen, die das Buch „Lesestörungen" beantworten möchte; 10,50 Euro.

Ähnliche Kurztexte kennzeichnen

Die Texte sind zum Teil sehr ähnlich. Wahrscheinlich haben Sie beim ersten Lesen einigen Texten zwei Items zugeordnet, bei anderen wissen Sie vielleicht nicht, welches Item passen könnte. In der Prüfung sollten Sie deshalb Kurztexte mit ähnlichem Inhalt kennzeichnen, um sie dann in Ruhe miteinander zu vergleichen.

Ü 4   **Ordnen Sie die Schlüsselwörter der Kurztexte den Themenbereichen zu.**
(Text A kann zwei Bereichen zugeordnet werden.)

A

Lernkassette für Erwachsene und Kinder; spielerisch, wie das Gehirn arbeitet; spielerisch Arbeitsweise des Gehirns verdeutlichen

B

Video; Kreativität; auch für Jugendliche

C

„Lexikon der Gehirnforschung"; 35 000 Stichwörter; Psychologie, Erziehung und Kommunikation

D

Spiel Erinnerungsvermögen trainieren; 6 Personen; Informationen merken; verbessern Erinnerungsleistung

E

Babys; entwickelt kindliche Gehirn; was hören; warum erkennen Babys; was für die Entwicklung des Gehirns tun

G

Kreativitätsforschung; Kreativität; Leben berühmter Künstler und einfallsreicher Wissenschaftler; Kurzbiographien

H

Kinder; nicht gut lesen; Pädagogen helfen; Gedächtnis beim Lernen; Wahrnehmung; Aufmerksamkeit trainieren; Lesestörungen

Psychologie; Hirnforschung   _C_ _____

Kind, Arbeitsweise des Gehirns   _____

Kreativität   _____

Lernprozesse verbessern / trainieren   _____

Items den Kurztexten zuordnen

Sie haben nun die Schlüsselwörter der Items und der Kurztexte markiert und ähnliche Items zusammengefasst. Nun sollten Sie die Schlüsselwörter der Texte und Items zu jeweils einem Themenbereich genau miteinander vergleichen.

 Ü 5   Ordnen Sie die Schlüsselwörter eines Items den Schlüsselwörtern des Textes zu.

Psychologie; Hirnforschung

Items	Texte
3 Psychologiestudent; Fachbegriffe nachschlagen	**C** „Lexikon der Gehirnforschung"; 35 000 Stichwörter; Psychologie; Erziehung und Kommunikation
9 Psychologiestudent; Gehirntätigkeit in der frühen Kindheit	

Erklärung:

Item 3: Wenn man Fachbegriffe nachschlagen möchte (= in einem Buch unbekannte Wörter nachsehen), dann benötigt man ein Lexikon (Nachschlagewerk, Wörterbuch), in dem Stichwörter (einzelne Wörter) erklärt werden.

Item 9: Das Item enthält die Schlüsselwörter „Psychologie" und „Gehirntätigkeit in der Kindheit". In Text C gibt es einen Hinweis auf Erziehung, aber keine Informationen zur Gehirntätigkeit in der frühen Kindheit. Text C passt also nicht zu Item 9.

 Ü 6   Ordnen Sie die Schlüsselwörter der Items den Schlüsselwörtern der Texte zu.

Lernprozesse verbessern/trainieren

Items	Texte
1 Psychologin; Lernprozesse von der Kindheit bis ins hohe Alter verbessern	**A** Lernkassette für Erwachsene und Kinder; spielerisch erfahren, wie das Gehirn arbeitet; spielerisch Arbeitsweise des Gehirns verdeutlichen
5 Schüler; Konzentrationsfähigkeit verbessern	
7 kreatives Denken trainieren	**D** mit Spiel Erinnerungsvermögen trainieren; 6 Personen; Informationen merken; verbessern Erinnerungsleistung
8 Lehramtsstudentin; Lernprozesse von Schülern verbessern	
10 auf unterhaltsame Weise Gedächtnis verbessern	**H** Kinder; nicht gut lesen; Pädagogen helfen; Gedächtnis beim Lernen; Wahrnehmung; Aufmerksamkeit trainieren; Lesestörungen

Erklärung:

Item 1: Text A und H behandeln zwar Lernprozesse, doch in keinem Text taucht ein Synonym für die Schlüsselwörter „von der Kindheit bis ins hohe Alter" auf. Die Lösung des Items ist also möglicherweise „*I*".

Item 5: Wenn Schüler ihre Konzentrationsfähigkeit verbessern wollen, müssen sie ihre Aufmerksamkeit trainieren (Text H). Doch kommen in Text H viele andere Schlüsselwörter vor, die man diesem Item nicht zuordnen kann (z. B. Pädagogen). Wenn Sie Item 5 mit Item 8 vergleichen, werden Sie sehen, dass Item 8 besser zu Text H passt. Die Lösung für Item 5 ist daher möglicherweise „*I*".

Item 7: Kreativität bedeutet Einfallsreichtum oder Gestaltungsfähigkeit. Unter den Schlüsselwörtern findet man keine Entsprechung hierfür (Text A: Arbeitsweise des Gehirns; Text D: Erinnerungsvermögen verbessern; Text H: Aufmerksamkeit trainieren). Die Lösung des Items ist also möglicherweise „*I*".

Item 8: Hier gibt es viele Entsprechungen mit Text H: Lehramtsstudentin = Pädagogin. Sie möchte die Lernprozesse von Schülern verbessern = Sie möchte den Kindern helfen. Das tut sie, indem sie ihre Wahrnehmung, ihr Gedächtnis und ihre Aufmerksamkeit trainiert. Die Lösung ist also H.

Item 10: Jemand, der auf unterhaltsame Weise sein Gedächtnis verbessern möchte, verwendet am besten Spiele, die das Erinnerungsvermögen trainieren. Die Lösung ist also D. Zu Text A passt im Themenbereich „Lernprozesse verbessern" kein Item, denn mit der Lernkassette kann man nicht bestimmte Fähigkeiten trainieren, sondern sie informiert darüber, wie das Gehirn arbeitet.

 Ü 7   **Ordnen Sie die Schlüsselwörter der Items den Schlüsselwörtern der Texte zu.**

Kreativität

Items	Texte
2 besonders kreative Persönlichkeiten gelebt	**B** Video; Kreativität; auch für Jugendliche
6 Biologielehrer; Unterricht; Material zum Thema Kreativität	**G** Kreativitätsforschung; Kreativität; Leben berühmter Künstler und einfallsreicher Wissenschaftler
7 kreatives Denken trainieren	

Erklärung:

Item 2: Wenn jemand wissen möchte, wie besonders kreative Persönlichkeiten gelebt haben, kann er eine Darstellung des „Lebens berühmter Künstler" lesen. Die Lösung ist G.

Item 6: Ein Biologielehrer unterrichtet Jugendliche. Als anschauliches Unterrichtsmaterial kann er ein Video über Kreativität verwenden. Die Lösung ist B.

Item 7: Zwar kommt in beiden Texten das Schlüsselwort Kreativität vor. Doch gibt es keine Übungen für kreatives Denken, sondern nur Informationen über kreatives Denken. Die Lösung des Items könnte also „*I*" sein.

Ü 8   Ordnen Sie die Schlüsselwörter der Items den Schlüsselwörtern der Texte zu.

Kind / Arbeitsweise des Gehirns

Items	Texte
4 Erzieherin; für Kinder geeignete Darstellung der Gehirnfunktionen	**A** Lernkassette für Erwachsene und Kinder; spielerisch, wie das Gehirn arbeitet; spielerisch Arbeitsweise des Gehirns verdeutlichen
9 Psychologiestudent; Informationen über Gehirntätigkeit in der frühen Kindheit	**E** Babys; entwickelt kindliche Gehirn; was sehen; was hören; warum erkennen Babys; was für die Entwicklung des Gehirns tun?

Erklärung:

Item 4: Wenn eine Erzieherin eine Darstellung der Gehirnfunktionen sucht, möchte sie den Kindern zeigen, wie das Gehirn funktioniert (Text A = wie das Gehirn arbeitet). Die Darstellung soll für Kinder geeignet sein (Text A = für Erwachsene und Kinder, spielerisch). Die Lösung ist A.

Item 9: Wenn ein Student sich für die Gehirntätigkeit in der frühen Kindheit interessiert, möchte er auch wissen, was Babys sehen, hören und erkennen können und wie sich das Gehirn in dieser Zeit entwickelt. Die Lösung ist also E.

Tipps für die Bearbeitung

Wenn Sie beim Lösen der Aufgabe nach einer festen Reihenfolge vorgehen, sparen Sie etwas Zeit. Natürlich können Sie die Arbeitsschritte auch in anderer Reihenfolge durchführen. Sie sollten sich aber für ein Vorgehen entscheiden, denn eine feste Lösungsstrategie gibt Ihnen Sicherheit.

1 **Bearbeitung der Items**
   - beim Lesen der Items Schlüsselwörter markieren
   - ähnliche Items kennzeichnen
   - Unterschiede in ähnlichen Items markieren

2 **Bearbeitung der Texte**
   - beim Lesen der Texte Schlüsselwörter markieren
   - Nummer(n) möglicher Items hinter dem Text notieren
     (Sie können zunächst ruhig mehrere Items einem Text zuordnen.)
   - Texte noch einmal einzeln lesen
   - ähnliche Texte miteinander vergleichen
   - Unterschiede in ähnlichen Texten markieren

3 **Zuordnung der Items**
   - Texte und Items miteinander vergleichen
   - Zuordnung der Items zu den Texten korrigieren
   - nochmals alle Items lesen
   - die Buchstaben der Texte hinter die Items schreiben

 Ü 9   **Sie können zur Wiederholung die vollständige Aufgabe (S. 24 / 25) noch einmal lösen.**

Leseverstehen 2, Erste Übungsaufgabe

Die zweite Aufgabe zum Leseverstehen besteht aus einem journalistischen Text über ein wissenschaftliches Thema und 10 Multiple-Choice-Aufgaben dazu. Sie sollen unter mehreren möglichen Antworten eine richtige markieren. Es gibt immer nur eine richtige Antwort!
In der Prüfung haben Sie für diese Aufgabe etwa 20 Minuten Zeit.
Meistens bestehen die Items aus einer Aussage zum Text, die Sie durch eine der drei Lösungsmöglichkeiten ergänzen sollen. Das Item kann auch als Frage formuliert sein. Dann sollen Sie die passende Antwort aussuchen. Die Reihenfolge der Items entspricht dem Textverlauf.

Leseverstehen 2: Items 1–6 ca. 10 Min.

Das globale Gehirn

In dem Film „A.I. – Künstliche Intelligenz" sind die intelligenten Roboter kaum von den Menschen zu unterscheiden. In der Realität dagegen sind die Ergebnisse der Forscher, die sich mit künstlicher Intelligenz beschäftigen, bislang wenig überzeugend. Noch übertrifft jedes Kleinkind die Roboter an Intelligenz. Doch in den nächsten Jahren könnte nahezu unbemerkt und unbeabsichtigt das erste intelligente Wesen entstehen, das von Menschen geschaffen wurde. Das Internet könnte zum „globalen Gehirn" werden und eine Form der künstlichen Intelligenz hervorbringen, die der menschlichen Intelligenz sehr nahe kommt. Darüber denkt jedenfalls ein wachsender Kreis von Wissenschaftlern nach.

Eines der klassischen Probleme der Wissenschaftler, die sich mit künstlicher Intelligenz beschäftigen, besteht darin, dass sie den Computern eine enorm große Menge an Wissen beibringen müssen. Dazu gehört nicht nur Bildung, sondern vor allem so Banales wie die Tatsache, dass Nasen laufen können, aber nicht gehen*. Das Internet als globales Gehirn beseitigt nach Meinung einiger Wissenschaftler dieses Hindernis, da Millionen von Nutzern ihm parallel ständig neue Informationen hinzufügen. Dadurch entstehe etwas Einzigartiges, das sich von allem anderen grundsätzlich unterscheide, was bisher aus den Labors hervorgegangen sei. Das Internet werde zu einem lebenden Produkt des gesammelten Einfallsreichtums der Menschheit.

Ähnlich wie das menschliche Gehirn ist das Internet hochgradig vernetzt. Im menschlichen Gehirn spielen die Verbindungsstellen der Nervenzellen, die sogenannten Synapsen, eine wichtige Rolle. Im Internet übernehmen die Hyperlinks, die den Nutzer per Mausklick zu einer anderen Website bringen, dieselbe Funktion. Heute werden diese Hyperlinks vom Autor der jeweiligen Seite vorgegeben. Wissenschaftler entwickeln nun ein System, mit dem sich diese Verweise nach Bedarf selbst bilden oder auch wieder vergehen können. Links, die oft benutzt werden, werden stärker hervorgehoben. Jene, die nur selten angeklickt werden, verschwinden wieder. So entsteht eine Vernetzung, die sich rein nach den Bedürfnissen der Nutzer richtet. Das Vorbild hierfür ist das menschliche Gehirn. Dort verstärkt sich die Verbindung zwischen zwei Nervenzellen, wenn diese beiden Nervenzellen häufig direkt nacheinander aktiv werden.

Durch diese neue Strukturierungsform könnten die Informationen im Internet geordnet und belebt werden. Das Wissen im Internet könnte in ein riesiges assoziatives Netzwerk gebracht werden, das ständig von seinen Benutzern lernt. Möglicherweise wäre es allerdings zutreffender, von einer kollektiven Intelligenz zu sprechen, als von einer künstlichen Intelligenz.

Nach: Wolfgang Blum „Das globale Gehirn" © DIE ZEIT vom 27.11.2001, S. 33
* die Nase läuft: umgangssprachlicher Ausdruck für „Schnupfen haben"

Leseverstehen 2: Items 1–6

Markieren Sie die richtige Antwort (A, B oder C).

---

(0) **Wissenschaftler**

A haben inzwischen Computer entwickelt, die klüger sind als Säuglinge.

~~B~~ hatten geringen Erfolg bei der Entwicklung denkender Computer.

C stehen bereits kurz vor der Entwicklung denkender Computer.

---

1 **Möglicherweise entwickelt das Internet**

A eine ähnliche Denkfähigkeit wie Menschen.

B eine größere Denkfähigkeit als der Mensch.

C eine neue, bisher unbekannte Art des Denkens.

2 **Eine Schwierigkeit bei der Entwicklung denkender Maschinen ist, dass**

A die menschlichen Fähigkeiten noch begrenzt sind.

B die menschlichen Kenntnisse oft nicht logisch sind.

C man nicht weiß, was man in den Computer eingeben soll.

3 **Im Internet können Menschen weltweit**

A Ideen für die Lösung aktueller Probleme suchen.

B individuell ihre neuesten Ideen veröffentlichen.

C zu jedem Thema die aktuellsten Daten finden.

4 **Das Gehirn des Menschen und das Internet haben**

A unterschiedliche Strukturen.

B vergleichbare Strukturen.

C wenig erforschte Strukturen.

5 **Durch neue Programme soll das Internet**

A für mehr Menschen leichter zu bedienen sein.

B mehr Informationen in weniger Zeit liefern.

C Verknüpfungen in Zukunft eigenständig herstellen.

6 **Das Internet hat eine eigene Dynamik, die in Zukunft**

A die Entstehung von künstlicher Intelligenz ermöglichen könnte.

B eine unstrukturierte Menge von Informationen verbreiten wird.

C viele Aufgaben des menschlichen Gehirns übernehmen könnte.

Vorbereitung der Übungsaufgabe

Bevor Sie mit dem Lösen der Aufgabe beginnen, können Sie mit den folgenden Übungen das Textverständnis vorbereiten.

 Ü 1   **Ordnen Sie die passende Worterklärung zu.**

die Intelligenz	Versuch von Computerwissenschaftlern, die menschliche Denkfähigkeit durch Maschinen nachzubilden und möglicherweise sogar zu übertreffen
der Roboter	Ideenreichtum; wenn jemand viele neue Ideen hat
das Gehirn	Fähigkeit, abstrakt und vernünftig zu denken und daraus zweckvolles Handeln abzuleiten
die künstliche Intelligenz	Maschine, die bestimmte menschenähnliche Tätigkeiten verrichtet; Maschinenmensch
der Einfallsreichtum	Teil des Zentralnervensystems, der für Assoziationen, Instinkte, Gedächtnis und Lernen zuständig ist

 Ü 2   **Kreuzen Sie an: Was können Computer nicht?**

- ▢ Informationen verarbeiten
- ▢ fühlen
- ▢ etwas Neues erfinden
- ▢ Wissen speichern
- ▢ rechnen
- ▢ Informationen sammeln
- ▢ Informationen miteinander verknüpfen
- ▢ neue Ideen haben

Die passende Textstelle finden

Jede Aufgabe zum Leseverstehen beginnt mit einem Beispiel.
Im Folgenden zeigen wir Ihnen an diesem Beispiel, wie Sie die Lösung eines schwierigen Items finden können.
Um Text und Item zu vergleichen, ist es sinnvoll, die Schlüsselwörter im Item, die in allen drei Lösungsmöglichkeiten gleich bleiben, zu markieren. In Item (01) ist das z. B. „Wissenschaftler" und „(denkender/kluger) Computer". Suchen sie nach Synonymen oder Umschreibungen für diese Schlüsselwörter im Text.

Ü 3   Markieren Sie die Synonyme und Umschreibungen für die
unterstrichenen Schlüsselwörter des Items im Text.

(0)	**Wissenschaftler**
A	haben inzwischen <u>Computer</u> entwickelt, die <u>klüger</u> sind als Säuglinge.
B	hatten geringen Erfolg bei der Entwicklung <u>denkender Computer</u>.
C	stehen bereits kurz vor der Entwicklung <u>denkender Computer</u>.

Text   In dem Film „A.I. – Künstliche Intelligenz" sind die intelligenten Roboter kaum von
den Menschen zu unterscheiden. In der Realität dagegen sind die Ergebnisse der
Forscher, die sich mit künstlicher Intelligenz beschäftigen, bislang wenig überzeugend. Noch übertrifft jedes Kleinkind die Roboter an Intelligenz.

 Tipp   In der Prüfung sollten Sie anschließend die Nummer des Items hinter dem Text notieren.
Das erleichtert Ihnen später die Kontrolle der Lösungen.

Antwortmöglichkeiten unterscheiden

Die Antwortmöglichkeiten A, B, C sind oft sehr ähnlich. Wenn Sie nicht genau wissen, welche
Lösung richtig ist, markieren Sie in den Items die Inhaltspunkte, in denen sich die Items unterscheiden, und suchen Sie die dazu passenden Textstellen.

 Ü 4   Markieren Sie die Textstellen, die zu den Antwortmöglichkeiten <u>A</u>, <u>B</u> und <u>C</u>
passen. Markieren Sie anschließend die richtige Lösung (A, B oder C).

(0)	**Wissenschaftler**
A	haben inzwischen Computer entwickelt, die <u>klüger sind als Säuglinge</u>.
B	hatten <u>geringen Erfolg</u> bei der Entwicklung denkender Computer.
C	stehen bereits <u>kurz vor der Entwicklung</u> denkender Computer.

Text   In dem Film „A.I. – Künstliche Intelligenz" sind die intelligenten Roboter kaum von
den Menschen zu unterscheiden. In der Realität dagegen sind die Ergebnisse der
Forscher, die sich mit künstlicher Intelligenz beschäftigen, bislang wenig überzeugend. Noch übertrifft jedes Kleinkind die Roboter an Intelligenz.

Erklärung:

A: Der Text sagt, jedes Kleinkind übertrifft die Roboter an Intelligenz. Das heißt, dass jedes
Kleinkind klüger als ein Roboter ist. Das ist genau das Gegenteil zu der Aussage des Items:
Computer sind klüger als Säuglinge (Text ↔ Item). Antwort A ist also falsch.

B: Wenn die Wissenschaftler geringen Erfolg hatten, ist ihre Forschung nicht sehr erfolgreich
(wenig überzeugend) (Text = Item). Diese Antwort ist richtig.

C: Die Wissenschaftler stehen kurz vor der Entwicklung eines denkenden Computers, das heißt, ihre Arbeit war erfolgreich. Doch nur im Film ist das so. In Wirklichkeit (Realität) jedoch (dagegen) gibt es bis heute (bislang) nur geringe Erfolge (wenig überzeugend). Das heißt, dass es noch einige Zeit dauern wird, bis man solche Computer entwickelt. C ist also falsch.

 Manchmal können Sie eine Antwortmöglichkeit (A, B oder C) gleich als falsch erkennen. Streichen Sie diese in der Prüfung sofort durch.

Das Leseverstehen trainieren

Die vorangehende Übung verdeutlicht, wie wichtig Satzverbindungen für das Textverständnis sind. Vielleicht haben Sie nicht verstanden, was „übertrifft an Intelligenz" bedeutet. Durch Satzverbindungen kann man manchmal die Bedeutung erschließen.

Im Film:	↔ (Gegensatz)	In der Realität:
Computer kaum von Menschen zu unterscheiden	dagegen	übertrifft jedes Kleinkind die Roboter an Intelligenz

Im Film sind Computer fast so intelligent wie Menschen (kaum von Menschen zu unterscheiden). In der Realität ist das Gegenteil der Fall: Computer sind bei weitem nicht so intelligent wie Menschen, selbst kleine Kinder sind klüger (jedes Kleinkind übertrifft die Roboter an Intelligenz). Achten Sie beim Lesen besonders auf Satzverbindungen.

 Ü 5 **Wählen Sie die passenden Wörter aus.**

Text Eines der klassischen Probleme der Wissenschaftler, *das/der/die* sich mit künstlicher Intelligenz beschäftigen, besteht *darauf/darin/daraus*, dass sie den Computern eine enorm große Menge an Wissen beibringen müssen. *Dafür/Damit/Dazu* gehört nicht nur Bildung, *aber/hingegen/sondern* vor allem so Banales wie die Tatsache, *dass/warum/zwar* Nasen laufen können, aber nicht gehen.

Ü6 Wählen Sie die zu den unterstrichenen Informationen des Textes das passende Item.

1	**Möglicherweise entwickelt das Internet**
A	eine ähnliche Denkfähigkeit wie Menschen.
B	eine größere Denkfähigkeit als der Mensch.
C	eine neue, bisher unbekannte Art des Denkens.

Text   Doch in den nächsten Jahren könnte nahezu unbemerkt und unbeabsichtigt das erste intelligente Wesen entstehen, das von Menschen geschaffen wurde. Das Internet könnte zum „globalen Gehirn" werden und <u>eine Form der künstlichen Intelligenz hervorbringen, die der menschlichen Intelligenz sehr nahe kommt</u>. Darüber denkt jedenfalls ein wachsender Kreis von Wissenschaftlern nach.

 Ü7 Markieren Sie die Textstellen, die zu den einzelnen Antwortmöglichkeiten <u>A</u>, <u>B</u>, <u>C</u> passen. Markieren Sie anschließend die richtige Lösung (A, B oder C).

2	**Eine Schwierigkeit bei der Entwicklung denkender Maschinen ist, dass**
A	<u>die menschlichen Fähigkeiten noch begrenzt sind.</u>
B	<u>die menschlichen Kenntnisse oft nicht logisch sind.</u>
C	<u>man nicht weiß, was man in den Computer eingeben soll.</u>

Text   Eines der klassischen Probleme der Wissenschaftler, die sich mit künstlicher Intelligenz beschäftigen, besteht darin, dass sie den Computern eine enorm große Menge an Wissen beibringen müssen. Dazu gehört nicht nur Bildung, sondern vor allem so Banales wie die Tatsache, dass Nasen laufen können, aber nicht gehen.

Erklärung:

A: Der Text sagt, dass Wissenschaftler den Computern „eine enorm große Menge an Wissen beibringen" müssen. Ihr Problem ist, dass es sehr viel Wissen gibt. Das ist genau das Gegenteil zu der Aussage des Items: Die menschlichen Kenntnisse sind begrenzt, d.h. es gibt nur wenig Wissen (Item ↔ Text). A ist also falsch.

B: Die Wissenschaftler müssen sehr viel Wissen speichern. Dazu gehören sowohl Bildung als auch „Banales" (Einfaches), z.B. „dass Nasen laufen können, aber nicht gehen". Das ist ein Beispiel für eine feststehende Redewendung, die man nicht logisch erklären kann (deshalb haben die Forscher Schwierigkeiten, sie Computern einzugeben). Aber jeder Deutsche kennt diese Redewendung (deshalb ist sie banal). B ist deshalb richtig.

C: Der Text sagt, man muss nicht nur Bildung, sondern … auch Banales … speichern.
Die Wissenschaftler wissen also, was sie speichern müssen (Item ≠ Text). C ist also falsch.

Den Aufgabentyp verstehen

Die Bearbeitung der Aufgabe fällt leichter, wenn man weiß, wie diese Aufgaben konzipiert sind. Versuchen Sie deshalb selbst ein Item zu formulieren.

Ü 8 **Lesen Sie die Antwortmöglichkeiten A und C. Lesen Sie dann den Textabschnitt und formulieren Sie eine richtige Lösung B.**

3	**Im Internet können Menschen weltweit**
A	Ideen für die Lösung aktueller Probleme suchen.
B	_____
C	zu jedem Thema die aktuellsten Daten finden.

Text Das Internet als globales Gehirn beseitige dieses Hindernis, da Millionen von Nutzern ihm parallel ständig neue Informationen hinzufügten, erklären einige Wissenschaftler. Dadurch entstehe etwas Einzigartiges, das sich von allem anderen grundsätzlich unterscheide, was bisher aus den Labors hervorgegangen sei. Das Internet werde zu einem lebenden Produkt des gesammelten Einfallsreichtums der Menschheit.

Erklärung:

Im Item haben Sie „Menschen weltweit". Im Text steht „Millionen von Nutzern" und „Menschheit". Sie können Ihre richtige Lösung aus den Informationen, die an diesen Textstellen stehen formulieren: „parallel ständig neue Informationen hinzufügten" und „gesammelten Einfallsreichtum". Eine mögliche Formulierung für B ist: *ständig neue Informationen hinzufügen.*
Da in den Items Synonyme und Umschreibungen verwendet werden, müssen Sie in dieser Übung noch umformulieren: *zur gleichen Zeit immer aktuelle Daten eingeben* oder etwas freier formuliert: *gleichzeitig ihre neuesten Ideen veröffentlichen.*

Die Hauptaussage des Textes verstehen

Das letzte Item der Aufgabe bezieht sich nicht auf einen Abschnitt, sondern auf den gesamten Text. Es prüft, ob Sie die Hauptaussage des Textes verstanden haben. Lesen Sie den Text auf S. 32 noch einmal, bevor Sie die folgenden Übungen machen.

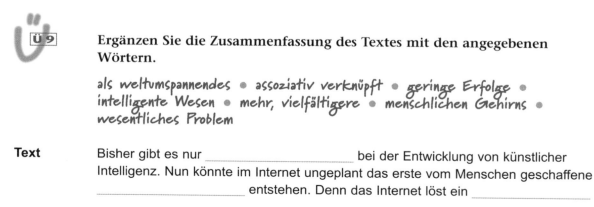

Ü 9 **Ergänzen Sie die Zusammenfassung des Textes mit den angegebenen Wörtern.**

als weltumspannendes • assoziativ verknüpft • geringe Erfolge • intelligente Wesen • mehr, vielfältigere • menschlichen Gehirns • wesentliches Problem

Text Bisher gibt es nur _____ bei der Entwicklung von künstlicher Intelligenz. Nun könnte im Internet ungeplant das erste vom Menschen geschaffene _____ entstehen. Denn das Internet löst ein _____

_____, das bei der Entwicklung der künstlichen Intelligenz aufgetreten ist:
Im Internet können _____ und aktuellere Informationen gesammelt werden als jemals zuvor. Diese Informationen sollen durch ein neues System,
das nach dem Vorbild des _____ arbeitet, geordnet werden.
Wissenschaftler bezeichnen diese Form des Internets _____
Gehirn, in dem das gesamte Wissen der Menschheit gesammelt und _____
_____ werden könnte.

Ü 10   Markieren Sie die richtige Antwort.

6	**Das Internet hat eine eigene Dynamik, die in Zukunft**
A	die Entstehung von künstlicher Intelligenz ermöglichen könnte.
B	eine unstrukturierte Menge von Informationen verbreiten wird.
C	viele Aufgaben des menschlichen Gehirns übernehmen könnte.

Die Prüfungssituation

Sie haben etwa 20 Minuten Zeit für den zweiten Lesetext. Wenn Sie in der Prüfung ein Item nicht
beantworten können, gehen Sie nach dem Markieren der Schlüsselwörter in Item und Text zum
nächsten Item weiter. Versuchen Sie nach dem Lösen der einfacheren Items, die schwierigen Items
zu erschließen, wie Sie es in dieser Einheit geübt haben.

Wenn Sie am Ende des Prüfungsteils zum Leseverstehen Ihre Antworten auf das Antwortblatt übertragen, sollten Sie für alle Items eine Lösung markieren, auch für solche, bei denen Sie die Lösung
nicht wissen. Vielleicht haben Sie ja Glück und markieren die richtige Antwort.

**Ü 11   Sie können zur Wiederholung die vollständige Aufgabe (S. 32/33)
noch einmal lösen.**

Leseverstehen 2, Zweite Übungsaufgabe

Leseverstehen 2: Items 1–5

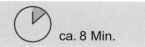

ca. 8 Min.

Die Wirkung des Parfüms

I Nahezu unbemerkt hat sich der Wohlgeruch inzwischen in fast allen Bereichen unseres Lebens verbreitet. Waschpulver und Putzmittel sind ohne Parfümierung undenkbar. Deodorants entfalten ihre Wirkung nicht mehr länger nur unter menschlichen Achseln. So gibt es das Deo für die Müll-tonne, wahlweise in den Duftnoten „Orange" und „Zitrone". Und „wochenlange Frische für Ihre Spülmaschine" verspricht der Kauf eines Apfel-Frische-Deos.

II Seinen Ursprung hat dieser Trend in Frankreich, wo es sogar parfümierte Spülschwämme und Gummihandschuhe mit Fruchtaroma gibt. Doch wer glaubt, parfümierte Produkte hätten in Deutsch-land wenig Chancen, könnte sich täuschen. Auch in Deutschland werden die Duftstoffhersteller immer mutiger. Stolz erzählt man von Experimenten mit imprägnierten T-Shirts, deren Duft viele Wäschen übersteht, und berichtet begeistert von Mikrokapseln in Gummischuhsohlen, die beim Auftreten feinen Ledergeruch freisetzen.

III Duft als Marketinginstrument, diese Idee wird immer beliebter, denn Geruchsinformationen im Gehirn haben nach Aussage eines Wissenschaftlers einen besonders guten Zugang zu den Ge-fühlen. In einer neueren Untersuchung wurde die Wirkung von geheimen Duftstoffen gemessen. Es stellte sich heraus, dass man mit angenehmen Gerüchen in Geschäften nicht nur die Aufent-haltsdauer und Kaufbereitschaft, sondern auch den Umsatz steigern kann. Bei einem Versuch wuchs der Umsatz nach dem Einsatz von Duftstoffen im Vergleich zum duftlosen Vorjahres-zeitraum um sechs Prozent.

IV Die Erkenntnisse dieser Studie verwenden bereits unterschiedliche Unternehmen. Allein im deutschsprachigen Raum sind rund 10 000 Hotels und Geschäfte mit Duftsäulen ausgestattet. Einige Geschäfte locken die Kunden sogar gezielt zu bestimmten Produkten. So kann es passieren, dass es in einem Lebensmittelgeschäft am Kühlregal nach ofenwarmer Pizza riecht. Eine Maschine, die in die Ladeneinrichtung integriert ist, verbreitet diesen Geruch, sobald sich in ihrer Nähe etwas bewegt.

V Schon beginnen Wissenschaftler vor Allergien* durch zu viele Gerüche zu warnen. Die Gefahr ist real. In einer Welt, in der Plastik nach Leder und die Mülltonne nach Zitrone riecht, bekommen empfindliche Menschen leicht Probleme. Eine Studie im Jahr 2000 zeigte, dass zwischen ein und drei Prozent der Bundesbürger inzwischen allergisch auf Duftstoffe reagieren. Im Zehnjahres-vergleich bedeutet das eine Verdopplung. „Sie finden ja heute kaum noch ein Produkt ohne Parfümierung", kritisiert auch ein Wissenschaftler.

Nach: Jutta Hoffritz „Parfümieren statt putzen" © DIE ZEIT 52/2001

* *die Allergie: krankhafte Reaktion des Organismus auf bestimmte körperfremde Stoffe (Manche Menschen müssen niesen, wenn sie Staub einatmen. Sie reagieren allergisch auf Staub.)*

Leseverstehen 2: Items 1–5

Markieren Sie die richtige Antwort! (A, B oder C)

---

(0) **Fast überall**

A   bevorzugen die Menschen Produkte, die nach Obst riechen.

~~B~~   trifft man auf Produkte mit künstlichen Duftstoffen.

C   werden parfümfreie Reinigungsmittel angeboten.

---

1   **In der Bundesrepublik**

A   benutzt man französische Produkte mit künstlichen Duftstoffen.

B   ist es unwahrscheinlich, dass sich künstliche Duftstoffe durchsetzen.

C   setzen sich die künstlichen Duftstoffe immer mehr durch.

2   **Menschen bleiben in Geschäften mit parfümierten Produkten länger und kaufen**

A   deutlich mehr als ohne Duftstoffe.

B   dort lieber als in anderen Geschäften.

C   vor allem die parfümierten Produkte.

3   **Die Ergebnisse der Duftforschung**

A   werden bisher kaum von Geschäften angewendet.

B   werden von verschiedenen Geschäften angewendet.

C   werden vor allem in Supermärkten angewendet.

4   **Die zunehmende Verbreitung künstlicher Duftstoffe**

A   führt dazu, dass die Menschen mehr Kunststoffprodukte kaufen.

B   kann möglicherweise Krankheitssymptome auslösen.

C   wird von einem Forscher positiv beurteilt.

5   **Die Parfümierung unterschiedlichster Produkte**

A   hat Nachteile für bestimmte Geschäfte und für die Gesundheit der Kunden.

B   hat Vorteile für die Geschäfte, aber gesundheitliche Nachteile für die Kunden.

C   hat Vorteile für die Geschäfte und für die Gesundheit der Kunden.

Synonyme Formulierungen trainieren

Die beste Vorbereitung für die zweite Aufgabe zum Leseverstehen besteht darin, Texte zu wissenschaftlichen Themen in deutschsprachigen Zeitungen und Zeitschriften zu lesen. Dadurch erweitern Sie Ihr Vorwissen zu möglichen Prüfungsthemen und Ihren Wortschatz. Notieren Sie sich dabei Synonyme und Umschreibungen für häufig gebrauchte Wörter. Ein breiter Wortschatz erleichtert die Lösung der Aufgaben, denn bei der Formulierung der Items werden Synonyme und Umschreibungen für die Wörter im Text verwendet.

 Ü1 **Lesen Sie den folgenden Textausschnitt, der zu Item 1 passt.**

Seinen Ursprung hat dieser Trend in Frankreich, wo es sogar parfümierte Spülschwämme und Gummihandschuhe mit Fruchtaroma gibt. Doch wer glaubt, parfümierte Produkte hätten in Deutschland wenig Chancen, könnte sich täuschen. Auch in Deutschland werden die Duftstoffhersteller immer mutiger. Stolz erzählt man von Experimenten mit imprägnierten T-Shirts, deren Duft viele Wäschen übersteht, und berichtet begeistert von Mikrokapseln in Gummischuhsohlen, die beim Auftreten feinen Ledergeruch freisetzen.

Ergänzen Sie den Lückentext sinngemäß.

Bundesrepublik • derjenige • Gegenstände • irrt • kommt • könnten • zuversichtlicher

Ursprünglich _____ der Trend, _____ für den Verkauf zu parfümieren, aus Frankreich. Doch _____, der glaubt, parfümierte Produkte _____ sich in Deutschland nicht durchsetzen, _____ sich vielleicht. Auch in der _____ werden die Duftstoffhersteller immer _____.

 Ü2 **Markieren Sie die richtige Antwort für Item 1 (A, B oder C).**

1	In der Bundesrepublik
A	benutzt man französische Produkte mit künstlichen Duftstoffen.
B	ist es unwahrscheinlich, dass sich künstliche Duftstoffe durchsetzen.
C	setzen sich die künstlichen Duftstoffe immer mehr durch.

Erklärung:

A: Der Text sagt, dass es in Frankreich parfümierte Spülschwämme, also Produkte mit künstlichen Duftstoffen gibt. Doch wir finden im Text keine Information darüber, ob diese Schwämme in Deutschland benutzt werden (Text ≠ Item). A ist also falsch.

B: Der Text sagt, Produkte mit künstlichen Duftstoffen (parfümierte Produkte) werden immer öfter eingesetzt und haben gute Chancen. Es sei falsch zu glauben, sie hätten keine Chancen (wer das glaubt, der irrt). Das Item stellt aber als Tatsache fest, es sei unwahrscheinlich, dass sich künstliche Duftstoffe in Deutschland durchsetzen. Die Aussagen in Text und Item sind gegensätzlich (Text ↔ Item). B ist also falsch.

C: Der Text sagt, die Hersteller von Duftstoffen werden immer mutiger und im Text gibt es einige Beispiele für die Anwendung parfümierter Produkte. Das heißt, die Produkte sind auch in Deutschland erfolgreich (setzen sich durch) (Item = Text). C ist also richtig.

Häufig vorkommende Wendungen lernen

Da im Lesetext der zweiten Aufgabe meist Forschungsergebnisse vorgestellt werden, kommen einige Formulierungen öfter in Texten und den entsprechenden Items zum Leseverstehen vor. Wenn Sie Übungstexte lesen, sollten Sie sich solche Formulierungen notieren; sie erleichtern Ihnen das Textverständnis.

 Ü 3   **Ordnen Sie die synonymen Formulierungen zu.**

nach Aussage eines Wissenschaftlers	steigerte sich / vergrößerte sich / nahm zu / stieg an
in einer neueren Untersuchung	die Testperson / der Proband
es stellte sich heraus	in einem Test / bei einem Experiment
bei einem Versuch	verglichen mit dem gleichen Zeitraum ein Jahr zuvor
wuchs	in einer aktuellen Studie
sank	wie ein Wissenschaftler sagte / mitteilte
im Vergleich zum Vorjahreszeitraum	nahm ab / reduzierte sich / sank
die Versuchsperson	es zeigte sich, dass / das Ergebnis war, dass / das Resultat war, dass

Den Text verstehen

In den Lesetexten der zweiten Aufgabe sind der Wortschatz und die grammatischen Strukturen anspruchsvoller als in den Lesetexten zur ersten Aufgabe. Manchmal ist es für das Textverständnis hilfreich, zusammengesetzte Wörter aufzulösen oder z. B. nominale Formulierungen umzuformen.

 Ü 4   **Ergänzen Sie die folgenden Worterklärungen.**

Die Aufenthaltsdauer ist die Zeit, die _____

Unter Kaufbereitschaft versteht man _____

Der Umsatz eines Geschäfts ist _____

Formen Sie den folgenden Satz um, ohne den Sinn zu verändern.

Bei einem Versuch wuchs der Umsatz nach dem Einsatz von Duftstoffen im Vergleich zum duftlosen Vorjahreszeitraum um sechs Prozent.

Bei einem Versuch wuchs der Umsatz, nachdem (1) _____, im Vergleich zum Vorjahreszeitraum, in dem (2) _____ verwendet worden waren, um sechs Prozent.

Ü 5 **Markieren Sie die richtige Antwort (A, B oder C).**

2	**Menschen bleiben in Geschäften mit parfümierten Produkten länger und kaufen**
A	deutlich mehr als ohne Duftstoffe.
B	dort lieber als in anderen Geschäften.
C	vor allem die parfümierten Produkte.

Text Duft als Marketinginstrument, diese Idee wird immer beliebter, denn Geruchsinformationen im Gehirn haben nach Aussage eines Wissenschaftlers einen besonders guten Zugang zu den Gefühlen. In einer neueren Untersuchung wurde die Wirkung von geheimen Duftstoffen gemessen. Es stellte sich heraus, dass man mit angenehmen Gerüchen in Geschäften nicht nur die Aufenthaltsdauer und Kaufbereitschaft, sondern auch den Umsatz steigern kann. Bei einem Versuch wuchs der Umsatz nach dem Einsatz von Duftstoffen im Vergleich zum duftlosen Vorjahreszeitraum um sechs Prozent.

Erklärung:

A: Der Text sagt, man kann mit Duftstoffen auch die Kaufbereitschaft und den Umsatz steigern. Die Menschen kaufen also mehr. Und der Umsatz ist bei einem Versuch um 6 Prozent gestiegen (Text = Item). A ist richtig.

B: Zwar sprechen Duftstoffe die Gefühle an (Text: haben guten Zugang zu den Gefühlen). Doch wird nichts darüber gesagt, wo die Menschen lieber einkaufen. B ist also falsch.

C: Im Text wird nicht gesagt, welche Produkte die Menschen kaufen, nur dass sie mehr kaufen. C ist also falsch.

Ü 6 **Suchen Sie ein passendes Synonym für die unterstrichenen Wörter.**

3	**Die <u>Ergebnisse</u> der Duftforschung**
A	werden bisher <u>kaum</u> von <u>Geschäften</u> angewendet.
B	werden von <u>verschiedenen</u> Geschäften <u>angewendet</u>.
C	werden <u>vor allem</u> in Supermärkten angewendet.

Die _____ **der Duftforschung**

werden bisher _____ von _____ angewendet.

werden von _____ Geschäften _____ .

werden _____ in Supermärkten angewendet.

Ü 7   Vergleichen Sie Ihre Antwort in Ü 6 mit dem folgenden Textabschnitt und markieren Sie dann in Ü 6 die richtige Antwort (A, B oder C).

Text   Die Erkenntnisse dieser Studie verwenden bereits unterschiedliche Unternehmen. Allein im deutschsprachigen Raum sind rund 10 000 Hotels und Geschäfte mit Duftsäulen ausgestattet. Einige Geschäfte locken die Kunden sogar gezielt zu bestimmten Produkten. So kann es passieren, dass es in einem Lebensmittelgeschäft am Kühlregal nach ofenwarmer Pizza riecht. Eine Maschine, die in die Ladeneinrichtung integriert ist, verbreitet diesen Geruch, sobald sich in ihrer Nähe etwas bewegt.

Antwortmöglichkeiten unterscheiden

Die Antwortmöglichkeiten A, B, C sind oft sehr ähnlich. Wenn Sie nicht genau wissen, welche Lösung richtig ist, markieren Sie in den Items die Inhaltspunkte, in denen sich die Items unterscheiden, und suchen Sie die dazu passenden Textstellen.

Ü 8   Markieren Sie die Textstellen, die zu den Antwortmöglichkeiten <u>A</u>, <u>B</u> und <u>C</u> passen. Markieren Sie anschließend die richtige Lösung (A, B oder C).

4	**Die zunehmende Verbreitung künstlicher Duftstoffe**
A	führt dazu, dass die Menschen mehr <u>Kunststoffprodukte kaufen</u>.
B	kann möglicherweise <u>Krankheitssymptome auslösen</u>.
C	wird von einem <u>Forscher positiv beurteilt</u>.

Text   Schon beginnen Wissenschaftler vor Allergien durch zu viele Gerüche zu warnen. Die Gefahr ist real. In einer Welt, in der Plastik nach Leder und die Mülltonne nach Zitrone riecht, bekommen empfindliche Menschen leicht Probleme. Eine Studie im Jahr 2000 zeigte, dass zwischen ein und drei Prozent der Bundesbürger inzwischen allergisch auf Duftstoffe reagieren. Im Zehnjahresvergleich bedeutet das eine Verdopplung. „Sie finden ja heute kaum noch ein Produkt ohne Parfümierung", kritisiert auch ein Wissenschaftler.

Erklärung:

A: Der Text sagt, dass Kunststoffprodukte (Plastik) nach Leder riechen, nicht dass die Menschen mehr Produkte aus Plastik kaufen (Text ≠ Item). A ist falsch.

B: Der Text gibt viele Hinweise auf Allergien / allergische Reaktionen (= Krankheitssymptome) durch Gerüche (ausgelöst durch Duftstoffe) (Text = Item). B ist richtig.

C: Der Text sagt, dass Wissenschaftler warnen und ein Wissenschaftler kritisiert die Duftstoffe. Das ist das Gegenteil von einer positiven Beurteilung (Text ↔ Item). C ist falsch.

Das letzte Item

Das letzte Item bezieht sich nicht auf einen einzelnen Textabschnitt,
sondern prüft das Verständnis des Gesamttextes.

 Ordnen Sie die Überschriften den Abschnitten I–V des Textes auf S. 40 zu.

- Parfümierte Produkte zuerst in Frankreich, jetzt auch in Deutschland erfolgreich

- Anwendung der Duftforschung in unterschiedlichen Wirtschaftsbereichen

- Gesundheitliche Gefahren durch Duftstoffe

- Bessere Verkaufsergebnisse durch Duftstoffe

- Künstliche Duftstoffe findet man überall

 Lesen Sie noch einmal die Überschriften für die einzelnen Abschnitte und markieren Sie dann die richtige Lösung für Item 5.

5	**Die Parfümierung unterschiedlichster Produkte**
A	hat Nachteile für bestimmte Geschäfte und für die Gesundheit der Kunden.
B	hat Vorteile für die Geschäfte, aber gesundheitliche Nachteile für die Kunden.
C	hat Vorteile für die Geschäfte und für die Gesundheit der Kunden.

Erklärung:
Wenn Sie die Informationen des Gesamttextes anschauen, so erfahren Sie:
– dass sich die parfümierten Produkte immer mehr verbreiten,
– dass parfümierte Produkte die Umsätze erhöhen,
– dass durch parfümierte Produkte Allergien hervorgerufen werden können.
Die Gesamtaussage des Textes ist also, dass der Einsatz von Duftstoffen Vorteile für die Geschäfte
hat (steigende Umsätze), aber zugleich gesundheitliche Nachteile (Allergien) für die Kunden.
Die Lösung ist also B.

Tipps zur Bearbeitung

Sie können auch beim Lösen der zweiten Aufgabe zum Leseverstehen nach einer festen Reihenfolge
vorgehen. Folgende Arbeitsschritte sollten Sie beachten:

Lösungsschritte
– den Text einmal ganz lesen
– das letzte Item (es bezieht sich auf die Gesamtaussage) lesen
– mit Bleistift die Lösung für das letzte Item markieren
– anschließend alle Items lesen
– Schlüsselwörter in den Items (z. B. mit blau) unterstreichen
– den Text noch einmal abschnittweise lesen

– dabei Synonyme und Umschreibungen für die Schlüsselwörter der Items (z. B. mit blau) unterstreichen
– die Nummern der Items hinter der passenden Textstelle notieren

Einfache Items
– Lösung sofort markieren, wenn Sie sich bei einem Item sicher sind

Schwierige Items
– von den Antwortmöglichkeiten A, B oder C eindeutig falsche Antworten sofort durchstreichen
– die unterschiedlichen Informationen in den einzelnen Antwortmöglichkeiten (A, B oder C) (z. B. mit rot) unterstreichen
– die Synonyme und Umschreibungen für die Informationen der Antwortmöglichkeiten (A, B oder C) im Text (z. B. mit rot) unterstreichen
– die Antwortmöglichkeit ankreuzen, für die Sie eine Entsprechung im Text finden

Letztes Item
– die Lösungen aller Items noch einmal anschauen: Kann man eine Gesamtaussage erkennen?
– den Text noch einmal überfliegen: Worum geht es in dem Text?
– auf die Überschrift achten
– auf die Quellenangabe und den Originaltitel achten
– die Antwortmöglichkeit (A, B oder C) ankreuzen, die der Gesamtaussage des Textes entspricht

Ü11 **Sie können zur Wiederholung die vollständige Aufgabe (S. 40/41) noch einmal lösen.**

Leseverstehen 3, Erste Übungsaufgabe

Die dritte Aufgabe zum Leseverstehen besteht aus einem Text über ein wissenschaftliches Thema und 10 Aussagen (Items) dazu. Sie müssen entscheiden, ob die Aussagen der Items mit dem Text übereinstimmen (ja), falsch sind (nein) oder ob der Text zu dieser Aussage keine Informationen gibt (Text sagt dazu nichts). Entscheidend ist dabei, ob der Text die gefragten Informationen gibt, nicht, ob Sie der Aussage zustimmen. Nicht Ihre Meinung und Ihr Wissen werden bewertet, sondern Ihre Sprachfähigkeit.

Leseverstehen 3: Items 1–6	
	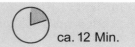 ca. 12 Min.

Vergleich der Umweltverträglichkeit von Bussen und Pkws

Busse, die mit Dieselkraftstoff fahren, haben den Ruf, umweltfreundliche Verkehrsmittel zu sein. Man hielt sie bisher in jedem Fall für umweltfreundlicher als Pkws*. Doch diese Einschätzung könnte sich ändern, denn Pkws haben im Umweltvergleich von Jahr zu Jahr bessere Ergebnisse. Dies ist eine Folge der Umweltpolitik: Dank des umweltpolitischen Drucks sind moderne Autos inzwischen mit Katalysatoren ausgestattet, wodurch sie weniger Schadstoffe produzieren. Die technische Entwicklung beim Dieselbus hingegen war bei der Verminderung der Schadstoffe nur wenig erfolgreich.

Beim Vergleich der Umweltverträglichkeit sind die Auslastungen der Fahrzeuge und die Abgasstandards die entscheidenden Größen. Wenn genügend Passagiere mitfahren, entstehen durch einen Bus pro Kopf immer noch weniger Treibhausgase als bei einem Pkw. Bei den Luftschadstoffen schneiden Busse aber weitaus schlechter ab. So produzieren Dieselbusse, die erst vor wenigen Jahren auf den Markt kamen, 5- bis 10-mal mehr Stickoxide pro Kilometer und beförderte Person als neuere Pkws mit Katalysator. Stickoxide sind Mitverursacher des Sommersmogs und wirken zudem direkt toxisch. Das krebserzeugende Risiko der Bus-Abgase ist gar 10- bis 15-fach höher. Selbst die neuesten Dieselbusse schneiden bei der Umweltverträglichkeit schlechter ab als Pkws.

Studien zur Umweltverträglichkeit von Verkehrsmitteln kommen zum Teil zu sehr unterschiedlichen Ergebnissen. Wenn man die Umwelteffekte von Bus und Bahn pro Fahrgast bei voller Auslastung der Verkehrsmittel vergleicht – also wenn jeder Steh- und Sitzplatz belegt ist –, so ist die Umweltbilanz von Bussen 30 % bis 50 % günstiger als bei Pkws. Mit der Realität hat diese Bilanz aber wenig zu tun. Denn legt man dem Vergleich die reale Auslastung der Verkehrsmittel zugrunde, so sind Pkws mit Katalysator umweltfreundlicher.

Die starke Abhängigkeit der Umwelteffekte von der Auslastung der Fahrzeuge deutet zugleich auf ein weiteres Problem der Verkehrspolitik hin: Attraktive Fahrpläne mit kürzeren Abständen und Angebote am Abend und Wochenende verschärfen die Umweltproblematik durch sinkende Auslastung. Ähnliches gilt für die Forderung, attraktive Angebote öffentlicher Verkehrsmittel auch auf dem Land anzubieten. Nicht selten fährt der Busfahrer allein von Dorf zu Dorf.
Für die Umwelt ist entscheidend, welche Konsequenzen aus der technischen und ökonomischen Entwicklung gezogen werden. Dabei müssen die unterschiedlichen lokalen Bedingungen berücksichtigt

werden. In sensiblen Innenstadtbereichen sind primär der Verkehrslärm und die Emission von Dieselruß zu reduzieren. Bei Überlandbussen, die auf dem Land einzelne Dörfer miteinander verbinden, ist die Verminderung des Stickoxidausstoßes vorrangig. Durch eine an diese verschiedenen Situationen angepasste Vorgehensweise könnte die Umwelt kosteneffizient entlastet werden.

Nach: Hermann Blümel „Der Dieselbus verspielt den Ökobonus des ÖPNV. ÖPNV-Liberalisierung mit Umweltdumping?"
© Öko-Mitteilungen 4/2001. Informationen aus dem Institut für angewandte Ökologie e.V., S. 17f.

* Pkw (Personenkraftwagen): (hier) Autos, die privat genutzt werden

Lesetext 3: Items 1–6

Fragen zum Text: Stimmt diese Aussage: ja/nein?
Oder ist keine Information dazu vorhanden?

Markieren Sie die richtige Antwort.

		Ja	Nein	Text sagt dazu nichts
(01)	Allgemein nimmt man an, dass Busse pro Fahrgast weniger Kraftstoff verbrauchen als Autos im Individualverkehr.			X
(02)	Die Schädigung der Umwelt durch Privatwagen nimmt ständig zu.		X	
1	Während der Ausstoß von schädlichen Abgasen bei Pkws abgenommen hat, ist er bei Bussen gleich geblieben.			
2	Wenn man die Umweltbelastung von Verkehrsmitteln untersucht, muss man die Zahl der Fahrgäste und die Menge der Schadstoffe berücksichtigen.			
3	In den letzten Jahren stellte man nur wenige moderne Busse her.			
4	Die Forschung belegt, dass Busse umweltfreundlicher sind als Pkws.			
5	Wenn die Busse öfter fahren würden, würden mehr Menschen Bus fahren.			
6	In städtischen Regionen kann man die Probleme des Nahverkehrs leichter lösen als in ländlichen Gebieten.			

Text und Item vergleichen

Zum Lösen der Aufgabe mit 10 Items haben Sie in der Prüfung etwa 20 Minuten Zeit. Es ist nicht notwendig, dass Sie jedes Wort im Text verstehen. Konzentrieren Sie sich auf die Beantwortung der Items. Die Reihenfolge der Items entspricht dem Textverlauf.

Nachdem Sie den ganzen Text und alle Items gelesen haben, sollten Sie den Text abschnittweise mit den Items vergleichen und die passenden Textstellen suchen.
Markieren Sie zuerst die Schlüsselwörter in den Items und suchen Sie dann die Umschreibungen oder Synonyme für diese Schlüsselwörter im Text. Schreiben Sie die Nummer des passenden Items hinter den Text. Das erleichtert Ihnen später die Kontrolle der Lösungen.

Wenn Sie nicht ganz sicher sind, welche Lösung Sie ankreuzen möchten (richtig, falsch, Text sagt dazu nichts), markieren Sie zuerst die Informationen, die in Text und Item gleich sind. Wenn Sie in der Prüfung zu einem Schlüsselwort eines Items keine passende Information finden, markieren Sie dieses in einer anderen Farbe oder kreisen Sie es ein. Dies kann ein Hinweis darauf sein, dass die Lösung des Items „nein" oder „Text sagt dazu nichts" ist.

Wenn Sie für alle Schlüsselwörter des Items Synonyme oder Umschreibungen im Text finden, ist die Antwort „ja".
Jede Aufgabe zum Leseverstehen beginnt mit einem Beispiel. Meistens besteht das Beispiel aus Items mit der Lösung „nein" und „Text sagt dazu nichts". Denn die Entscheidung, ob die Lösung „nein" ist oder „Text sagt dazu nichts", ist oft nicht einfach.

Synonyme Formulierungen trainieren

Items und Text sind unterschiedlich formuliert. Einige Formulierungen findet man in den Aufgaben zum Leseverstehen öfter. Wenn sie solche Wendungen lernen, fällt Ihnen das Lösen der Items leichter.

Ü1   **Ergänzen Sie.**

gelten als ● *haben den Ruf* ● *Man nimmt an* ● *Man hält*

Busse, die mit Dieselkraftstoff fahren, _____, umweltfreundlich zu sein.

Busse, die mit Dieselkraftstoff fahren, _____ umweltfreundlich.

_____, dass Busse, die mit Dieselkraftstoff fahren, umweltfreundlich sind.

_____ Busse, die mit Dieselkraftstoff fahren, für umweltfreundlich.

Ü2   **Markieren Sie: Zu welchen Schlüsselwörtern des Items (unterstrichen) werden im Text gleiche Informationen (blau) gegeben, zu welchen andere (rot)?**

(01)	Allgemein nimmt man an, dass Busse pro Fahrgast weniger Kraftstoff verbrauchen als Autos im Individualverkehr.

Text   Busse, die mit Dieselkraftstoff fahren, haben den Ruf, umweltfreundliche Verkehrsmittel zu sein. Man hielt sie bisher in jedem Fall für umweltfreundlicher als Pkws.

Lösung: „nein" oder „Text sagt dazu nichts"?

Wenn Sie nur die einzelnen Wörter betrachten, haben Item und Text zum Teil gleiche Informationen, zum Teil andere. Unterschiedliche Informationen sind ein Hinweis darauf, dass die Lösung entweder „Nein" ist oder „Text sagt dazu nichts". Um zu entscheiden, welche der beiden Lösungen richtig ist, sollten Sie das Thema der ganzen Textstelle mit dem Thema des Items vergleichen. Wird im Text etwas anderes zu einem Thema gesagt als im Item (nein) oder hat der Text ein völlig anderes Thema als das Item (Text sagt dazu nichts)? Fragen Sie sich: Worüber informiert der Text? Worüber informiert das Item?

 Ü3 Vergleichen Sie in Ü 2 noch einmal das Item mit dem Text. Markieren Sie dann: Worüber informiert das Item? Worüber informiert der Text?

Item	Information über	Text
▪	Kraftstoffverbrauch von Bus und Pkw	▪
▪	Nutzung von Privatwagen früher und heute	▪
▪	Umweltfreundlichkeit von Bus und Pkw	▪

Erklärung:

Item und Text geben Informationen über Busse und Pkws. Doch das Thema des Items ist der Kraftstoffverbrauch. Das Thema des Textes ist die Umweltfreundlichkeit von Bus und Pkw. Zum Kraftstoffverbrauch finden Sie im Text keine Information. Deshalb ist die Lösung von Item (01) „Text sagt dazu nichts".

 Ü4 Ergänzen Sie die Lücke so, dass die Lösung des Items „nein" ist.

Item (02)	Text
Die Schädigung der Umwelt durch Privatwagen nimmt ständig _____.	Doch diese Einschätzung könnte sich ändern, denn Pkws haben im Umweltvergleich von Jahr zu Jahr bessere Ergebnisse. Dies ist eine Folge der Umweltpolitik: Dank des umweltpolitischen Drucks sind moderne Autos inzwischen mit Katalysatoren ausgestattet, wodurch sie weniger Schadstoffe produzieren.

Erklärung:

In Item (02) und der Textstelle ist das Thema die Umweltschädigung durch Pkws. Im Text steht statt „Umweltschädigung" = „Schadstoffe produzieren". Dies ist keine wörtliche Entsprechung. Doch wenn man Schadstoffe produziert, schädigt man die Umwelt.

Damit die Lösung des Items falsch ist, müssen die Informationen zum Thema Umweltschädigung gegensätzlich sein: Wenn der Text sagt, es gibt bessere Ergebnisse / weniger Schadstoffe werden produziert, so führt das zu einer geringeren Schädigung.

Wenn die Lösung des Items ja wäre, hieße es: Die Schädigung der Umwelt durch Privatwagen nimmt ständig ab.

Sie sollten die Lücke so ergänzen, dass die Antwort „nein" ist. Deshalb setzen Sie in die Lücke ein: Die Schädigung der Umwelt durch Privatwagen nimmt ständig zu.

Logische Zusammenhänge erkennen: Für die Lösung der Items ist eine einfache Wort-zu-Wort-Zuordnung der synonymen Ausdrücke nicht ausreichend. Achten Sie deshalb beim Lesen auch auf logische Verknüpfungen und trainieren Sie Satzverbindungen.

Ü 5   **Welche Formulierung passt?**

- *Trotzdem / Während / Allerdings* der Ausstoß von schädlichen Abgasen bei Pkws abgenommen hat, ist er bei Bussen fast gleich geblieben.

- Der Ausstoß von schädlichen Abgasen hat bei Pkws abgenommen. Bei Bussen *trotzdem / obwohl / hingegen* ist er fast gleich geblieben.

- Der Ausstoß von schädlichen Abgasen hat bei Pkws abgenommen. *Aber / Im Gegensatz dazu / Obschon* ist er bei Bussen fast gleich geblieben.

- *Nicht nur / Weder / Zwar* hat der Ausstoß von schädlichen Abgasen bei Pkws abgenommen, *aber/noch/sondern* bei Bussen ist er fast gleich geblieben.

Ü 6   **Markieren Sie: Welche Informationen sind in Item und Text gleich (blau), welche unterscheiden sich (rot)? Markieren Sie anschließend die Lösung „Ja", „Nein" oder „Text sagt dazu nichts".**

		Ja	Nein	Text sagt dazu nichts
1	Während der Ausstoß von schädlichen Abgasen bei Pkws abgenommen hat, ist er bei Bussen fast gleich geblieben.			

Text   Dies ist eine Folge der Umweltpolitik: Dank des umweltpolitischen Drucks sind moderne Autos inzwischen mit Katalysatoren ausgestattet, wodurch sie weniger Schadstoffe produzieren. Die technische Entwicklung beim Dieselbus hingegen war bei der Verminderung der Schadstoffe nur wenig erfolgreich.

Unbekannte Wörter erschließen

Wenn Sie ein wichtiges Wort im Text nicht verstehen, lesen Sie die Sätze vor und nach diesem Wort genau und versuchen Sie die Bedeutung des Wortes zu erschließen. Achten Sie auch auf die Wortbildung, z. B. von Komposita und auf Nominalisierungen.

Ü 7   **Lesen Sie den folgenden Textabschnitt.**

Text   Beim Vergleich der Umweltverträglichkeit sind die Auslastungen der Fahrzeuge und die Abgasstandards die entscheidenden Größen. Wenn genügend Passagiere mitfahren, entstehen durch einen Bus pro Kopf immer noch weniger Treibhausgase als bei einem Pkw. Bei den Luftschadstoffen schneiden Busse aber weitaus schlechter ab.

Erklären Sie die folgenden Begriffe, indem Sie die passende Formulierung wählen.

– *Auslastung der Fahrzeuge* bedeutet, dass die Busse ~~ausgelastet~~/~~leer~~/voller Gepäck sind, das heißt, alle verfügbaren Sitzplätze sind besetzt/~~frei~~/~~beladen~~.

– Unter *Abgasstandards* versteht man hier die Menge und Art der Schadstoffe, die von einem Fahrzeugtyp ausgestoßen/~~verbraucht~~/~~zurückgehalten~~ werden.

Ü 8 **Ergänzen Sie die Lücke, ohne den Inhalt des Satzes zu verändern.**

Beim Vergleich der Umwelteffekte sind die Auslastungen und die Abgasstandards die entscheidenden Größen.
Wenn _____,
sind die Auslastungen und die Abgasstandards die entscheidenden Größen.

Ü 9 **Markieren Sie die Lösung „Ja", „Nein" oder „Text sagt dazu nichts".**

		Ja	*Nein*	*Text sagt dazu nichts*
2	Wenn man die Umweltbelastung von Verkehrsmitteln untersucht, muss man die Zahl der Fahrgäste und die Menge der Schadstoffe berücksichtigen.			

Text Beim Vergleich der Umweltverträglichkeit sind die Auslastungen der Fahrzeuge und die Abgasstandards die entscheidenden Größen. Wenn genügend Passagiere mitfahren, entstehen durch einen Bus pro Kopf immer noch weniger Treibhausgase als bei einem Pkw. Bei den Luftschadstoffen schneiden Busse aber weitaus schlechter ab.

Fragen stellen

Item 3 ist dem Text sehr ähnlich. Um die richtige Lösung zu finden, kann es hilfreich sein, wenn Sie Fragen an den Text stellen.

Ü 10 **Beantworten Sie die Fragen.**

Item 3	Text
In den letzten Jahren stellte man nur wenige moderne Busse her.	So produzieren Dieselbusse, die erst vor wenigen Jahren auf den Markt kamen, 5- bis 10-mal mehr Stickoxide pro Kilometer und beförderte Person als neuere Pkws mit Katalysator.

Fragen:

- Wer produzierte/produziert etwas?   *Item:* _____   *Text:* _____
- Was wird/wurde produziert?   *Item:* _____   *Text:* _____
- Wie lautet die Lösung zu Item 3?   *Ja / Nein / Text sagt dazu nichts*

Ü11   **Kennzeichnen Sie gleiche Informationen (=), unterschiedliche Informationen (≠) oder keine Informationen (–) im Feld zwischen den Stichwörtern. Kreuzen Sie anschließend die Lösung „Ja", „Nein", „Text sagt dazu nichts" an.**

		Ja	Nein	Text sagt dazu nichts
4	Die Forschung belegt, dass Busse umweltfreundlicher sind als Pkws.			

Text   Studien zur Umweltverträglichkeit von Verkehrsmitteln kommen zum Teil zu sehr unterschiedlichen Ergebnissen.

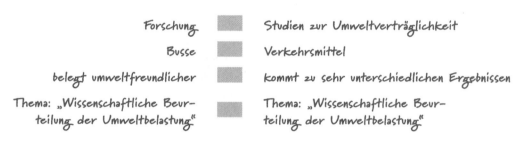

Erklärung: Sowohl der Text als auch das Item informieren über Studien zur Umweltbelastung durch öffentliche Verkehrsmittel. Aber die Ergebnisse der Studien sind unterschiedlich. Das Item sagt, Studien würden beweisen, dass Busse besser für die Umwelt sind. Nach Informationen des Textes sind die Resultate der Forschung unterschiedlich (d. h. man konnte bisher nicht beweisen, dass Busse besser für die Umwelt sind). Die Lösung des Items ist „Nein".

Worauf Sie achten sollten

Um die Bedeutung von Item und Text miteinander zu vergleichen, sollten Sie immer den ganzen Satz oder Absatz lesen. Die Zuordnung von Wörtern ist nur ein Schritt bei der Lösung der Aufgabe.

Ü12   **Kennzeichnen Sie gleiche Informationen (=), unterschiedliche Informationen (≠) oder keine Informationen (–) im Feld zwischen den Stichwörtern. Kreuzen Sie anschließend die Lösung „Ja", „Nein", „Text sagt dazu nichts" an.**

		Ja	Nein	Text sagt dazu nichts
6	In städtischen Regionen kann man die Probleme des Nahverkehrs leichter lösen als in ländlichen Gebieten.			

Text Für die Umwelt ist entscheidend, welche Konsequenzen aus der technischen und ökonomischen Entwicklung gezogen werden. Dabei müssen die unterschiedlichen lokalen Bedingungen berücksichtigt werden. In sensiblen Innenstadtbereichen sind primär der Verkehrslärm und die Emission von Dieselruß zu reduzieren. Bei Überlandbussen, die auf dem Land einzelne Dörfer miteinander verbinden, ist die Verminderung des Stickoxidausstoßes vorrangig. Durch eine an diese verschiedenen Situationen angepasste Vorgehensweise könnte die Umwelt kosteneffizient entlastet werden.

Innenstadtbereichen		städtischen Regionen
auf dem Land		ländlichen Gebieten
Thema: „Unterschiedliche lokale Bedingungen, deshalb unterschiedliche Lösungen"		Thema: „Problemlösung in der Stadt leichter als auf dem Land"

Erklärung:

Für einzelne Wörter können Sie in dem Text synonyme Formulierungen für die Begriffe des Items finden. Die Gesamtaussage von Text und Item ist aber unterschiedlich. Ob die Lösung der Umweltprobleme in der Stadt leichter sein wird als auf dem Land, darüber erfahren Sie in dem Text nichts. Dort steht nur, dass sie anders sein muss. Die Antwort ist deshalb „Text sagt dazu nichts".

Tipp

Wenn Sie in der Prüfung ein Item nicht beantworten können, gehen Sie nach dem Markieren der Gemeinsamkeiten und Unterschiede zwischen Item und Text zum nächsten Item weiter, damit Sie keine Zeit verlieren. Denn Sie sollten möglichst nicht mehr als 10 Minuten für die erste Aufgabe und 20 Minuten für die zweite und dritte Aufgabe zum Leseverstehen verwenden.

Wenn Sie am Ende des dritten Prüfungsteils zum Leseverstehen Ihre Antworten auf das Antwortblatt übertragen, sollten Sie für alle Items eine Lösung ankreuzen, auch für solche, bei denen Sie die Lösung nicht wissen. Die Chance, die richtige Lösung zu treffen, liegt bei etwa 33%.

 Ü13 **Sie können zur Wiederholung die vollständige Aufgabe (S. 48/49) noch einmal lösen.**

Leseverstehen 3, Zweite Übungsaufgabe

Leseverstehen 3: Items 1–7

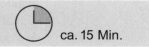

ca. 15 Min.

Lächeln Frauen anders?

Lächeln ist eines der wichtigsten und häufigsten mimischen Signale der zwischenmenschlichen Kommunikation. Es dient der Kontaktaufnahme und spielt eine wichtige Rolle bei der Entstehung und Aufrechterhaltung einer emotionalen Beziehung mit einem anderen Menschen. Jede Kultur hat gewisse Regeln dafür, in welchen Situationen ein Lächeln angezeigt ist – davon unabhängig wird es auf der ganzen Welt verstanden als Ausdruck positiver Gefühle, etwa von Freude und Zufriedenheit.

Ist aber jedes Lächeln spontaner Ausdruck eines angenehmen Gefühls? Es ist anzunehmen, dass bei Erwachsenen der Gesichtsausdruck die zugrunde liegenden Emotionen nicht mehr so unmittelbar zeigt, wie dies bei Kleinkindern der Fall ist. Durch Erziehung und kulturell-soziales Umfeld haben wir gelernt, unsere Mimik zu kontrollieren. Der Ausdruck von Ärger zum Beispiel scheint starken geschlechtsspezifischen Regeln zu unterliegen: Es wird negativ bewertet, wenn eine Frau ihrem Ärger in der Öffentlichkeit Ausdruck gibt. So verstecken Frauen in solchen Situationen ihren Ärger hinter einem Lächeln.

Die Grundform des Lächelns wird in der Forschung definiert als eine beobachtbare Bewegung eines bestimmten Gesichtsmuskels, ein Anheben der Mundwinkel. Beim Lachen kommt zusätzlich eine spezifische Lautäußerung (haha) dazu. Die Emotionsforschung hat in den letzten Jahren differenzierte Methoden entwickelt, um die Mimik in zwischenmenschlichen Interaktionen anhand von Videoaufzeichnungen detailliert zu analysieren und objektiv zu erfassen.

Mithilfe dieser Methoden konnte gezeigt werden, dass wiederholtes Lächeln und Lachen einen wesentlichen Einfluss auf die Regulierung zwischenmenschlicher Interaktionen haben und – oft auch unbewusst – das Wohlbefinden aller Beteiligten beeinflussen können. Lächeln ist zur Konfliktregulierung besonders geeignet, weil damit dem Partner trotz des Auftretens negativer Emotionen immer wieder emotionale Verbundenheit signalisiert werden kann.

Dies belegen Untersuchungen zur Ärgerregulierung bei Paaren. In gut funktionierenden Beziehungen erwidern die Partner jeweils das Lächeln und Lachen des Gegenübers, was wesentlich zur Konfliktentschärfung beiträgt und das gemeinsame Erleben von Wohlbefinden ermöglicht. Sind die Beziehungen allerdings schon sehr belastet, funktionieren diese mimischen Interaktionsmuster nicht mehr.

Außerdem ergab ein Vergleich zwischen männlichem und weiblichem Verhalten, dass die Ärger auslösenden Themen (z.B. Unpünktlichkeit des Partners) vorwiegend von den Frauen eingebracht wurden. Die Frauen waren in der Konversation aktiver, stellten mehr Fragen und versuchten immer wieder, durch „Interessebekundungssignale" wie „mhm", „ja" oder durch ein Lächeln ihren Gesprächspartner zu unterstützen. Es konnte auch festgestellt werden, dass Frauen signifikant häufiger lachen als Männer. Frauen lachen sehr oft aus Unsicherheit, während Männer häufig selbstbezogen, das heißt auf eigene Äußerungen hin lachen. Schließlich scheint auch diese Untersuchung die Annahme anderer Autoren zu bestätigen, wonach Männer weibliches Lachen seltener unterstützen als umgekehrt.

Nach: Eva Bänninger-Huber „Lächeln Frauen anders? Das widerliche Lachen der alten Kokotte.
Das verschmitzte Lächeln des alten Mädchenjägers." © AG Innsbruck, 1/2001, S. 13–16

Leseverstehen 3: Items 1–7

Fragen zum Text: Stimmt diese Aussage: Ja / Nein?
                                Oder ist keine Information dazu vorhanden?

Markieren Sie die richtige Antwort.

		Ja	Nein	Text sagt dazu nichts
(01)	Menschen sind die einzigen Lebewesen, die lächeln können.			X
(02)	Die Bedeutung des Lächelns ist in jeder Kultur anders.		X	
1	Kinder lachen häufiger als ihre Eltern.			
2	Weil Frauen ihre schlechte Laune nicht zeigen möchten, lächeln sie.			
3	Wenn man lächelt, bewegt man andere Muskeln, als wenn man lacht.			
4	Die Wissenschaftler suchen noch nach Wegen zur Erforschung des Lächelns.			
5	Lächeln sorgt dafür, dass ein Streit nicht zu verletzend wird.			
6	Männer verstehen bei Streitigkeiten die Argumente der Frauen oft nicht.			
7	Männer lachen oft, weil sie nicht wissen, wie sie sich verhalten sollen.			

Vorbereitung des Lesetextes

Die Texte der dritten Aufgabe zum Leseverstehen informieren über neuere Forschungsergebnisse aus unterschiedlichen wissenschaftlichen Gebieten. Die folgenden Übungen dienen zur Vorbereitung auf den Wortschatz des Übungstextes.

Ü 1 **Suchen Sie das passende Nomen.**

mimisch _____	emotional _____
verbunden _____	signalisieren _____
regulieren _____	kontrollieren _____
unsicher _____	

Ü 2 **Suchen Sie die passende Worterklärung.**

die Mimik	wenn man nicht weiß, wie man sich verhalten soll
die Emotion	die Überwachung, die Aufsicht
die Verbundenheit	das Mienenspiel / Wechsel des Gesichtsausdrucks
das Signal	die Steuerung, die Korrektur
die Regulierung	das Gefühl
die Kontrolle	(das Gefühl der) Zusammengehörigkeit mit jemandem
die Unsicherheit	das Zeichen

Formulierungen in den Items und im Text

Oft werden in Item und Text gegensätzliche Formulierungen verwendet, vor allem wenn die Lösung „Nein" ist. Trainieren Sie, das Gegenteil zu sagen.

Ü 3 **Wie heißt das Gegenteil?**

häufig	subjektiv
aktiv	passiv
positiv	undifferenziert
angenehm	unspezifisch
objektiv	einmalig
differenziert	unangenehm
spezifisch	selten
wiederholt	negativ

Textstellen markieren

Lesen Sie zuerst den ganzen Text, dann alle Items. Sie können die Items bereits beim ersten Lesen mit dem Text vergleichen. Sie können auch erst alle Items lesen und dann den Text abschnittweise mit den einzelnen Items vergleichen. Dann haben Sie einen besseren Überblick über die Gesamtaussage des Textes.

Die Items folgen dem Textverlauf. Notieren Sie die Zahlen der Items am Textrand hinter der passenden Textstelle. Einfache Items können Sie sofort lösen. Bei schwierigen Items sollten Sie Text und Item wie in den folgenden Übungen beschrieben genau miteinander vergleichen.

Wenn Sie nicht ganz sicher sind, welche Lösung Sie ankreuzen sollen (Ja, Nein, Text sagt dazu nichts), markieren Sie zuerst die Informationen, die in Text und Item gleich sind.

Wenn Sie in der Prüfung zu einem Schlüsselwort eines Items keine passende Information im Text finden, markieren Sie dieses Schlüsselwort im Item mit einer anderen Farbe oder kreisen Sie es ein. Dies kann ein Hinweis darauf sein, dass die Lösung des Items „Nein" oder „Text sagt dazu nichts" ist.

 Ü 4 **Markieren Sie: Welche Informationen sind in Item und Text gleich (blau), welche unterscheiden sich (rot)? Notieren Sie, welche Themen Item und Text haben, und markieren Sie dann die richtige Lösung.**

		Ja	Nein	Text sagt dazu nichts
1	Kinder lachen häufiger als ihre Eltern.			

Text Ist aber jedes Lächeln spontaner Ausdruck eines angenehmen Gefühls? Es ist anzunehmen, dass bei Erwachsenen der Gesichtsausdruck die zugrunde liegenden Emotionen nicht mehr so unmittelbar zeigt, wie dies bei Kleinkindern der Fall ist. Durch Erziehung und kulturell-soziales Umfeld haben wir gelernt, unsere Mimik zu kontrollieren.

Thema Item: _____ *Thema Text:* _____

Erklärung: In Item 1 geht es darum, wie oft Kinder und Erwachsene lachen. Im Text geht es darum, dass Menschen lernen ihre Mimik zu kontrollieren. Es gibt im Text keine Information darüber, wie oft Erwachsene oder Kinder lachen. Die Lösung ist deshalb „Text sagt dazu nichts".

 Ü 5 **Vergleichen Sie Item und Text. Beantworten Sie dann a und b, bevor Sie die richtige Lösung des Items markieren (Ja, Nein, Text sagt dazu nichts).**

		Ja	Nein	Text sagt dazu nichts
2	Weil Frauen ihre schlechte Laune nicht zeigen möchten, lächeln sie.			

Text Der Ausdruck von Ärger zum Beispiel scheint starken geschlechtsspezifischen Regeln zu unterliegen: Es wird negativ bewertet, wenn eine Frau ihrem Ärger in der Öffentlichkeit Ausdruck gibt. So verstecken Frauen in solchen Situationen ihren Ärger hinter einem Lächeln.

a **Welche Bedeutung hat „So" in dem folgenden Satz?**

„*So* verstecken Frauen in solchen Situationen ihren Ärger hinter einem Lächeln."

▢ auf diese Weise   ▢ deshalb   ▢ ebenso

b **Notieren Sie die Wörter aus dem Text, die zu den Stichwörtern des Items passen.**

schlechte Laune = _____
nicht zeigen = _____
lächeln = _____

Erklärung:

Im Item wird ein Grund dafür angegeben, warum Frauen lächeln, auch im Text.
Das Item fasst die Aussage des Textes zusammen. Die richtige Antwort ist deshalb „Ja".

Den Text verstehen

Der zweite Text zum Leseverstehen ist sprachlich komplex. Manchmal versteht man den Text
besser, wenn man umformuliert.

Ü 6 **Lesen Sie den folgenden Textabschnitt und ergänzen Sie dann den
Lückentext.**

Text

> Die Forschung definiert Lächeln als eine beobachtbare Bewegung eines
> bestimmten Gesichtsmuskels. Beim Lachen kommt zusätzlich eine spezifische
> Lautäußerung dazu. Lächeln ist zur Konfliktregulierung besonders geeignet,
> weil damit dem Partner trotz des Auftretens negativer Emotionen immer
> wieder emotionale Verbundenheit signalisiert werden kann.

charakteristische ● Konflikte zu regulieren ● man beobachten kann ●
negative Emotionen auftreten ● versteht unter ● Wenn man lacht

Die Forschung _____ Lächeln eine Bewegung eines bestimmten
Gesichtsmuskels, die _____. _____,
kommt zusätzlich eine _____ Lautäußerung dazu.
Lächeln ist besonders geeignet, um _____, weil
damit dem Partner immer wieder emotionale Verbundenheit signalisiert werden
kann, obwohl _____.

Ü 7 **Stimmt diese Aussage: Ja/Nein? Oder ist keine Information dazu vorhanden?
Markieren Sie die richtige Antwort.**

		Ja	Nein	Text sagt dazu nichts
3	Wenn man lächelt, bewegt man andere Muskeln, als wenn man lacht.			

Text Die Grundform des Lächelns wird in der Forschung definiert als eine beobachtbare Bewegung eines bestimmten Gesichtsmuskels, ein Anheben der Mundwinkel. Beim Lachen kommt zusätzlich eine spezifische Lautäußerung (haha) dazu.

Erklärung: In Text und Item geht es darum, wodurch sich das Lächeln vom Lachen unterscheidet (Thema Text = Thema Item). Nach Aussage des Textes liegt der Unterschied darin, dass man das Lachen hören kann. Es werden dabei die gleichen Muskeln bewegt wie beim Lächeln. Beim Lachen kommt zusätzlich (zu dem Anheben der Mundwinkel) eine spezifische Lautäußerung dazu. Das Item sagt aber, dass beim Lachen andere Muskeln bewegt werden. Im Item gibt es also eine andere Information zu dem Thema als im Text. Deshalb ist die Lösung der Aufgabe „Nein".

Häufig vorkommende Formulierungen

Da in den Texten zum Leseverstehen Forschungsergebnisse referiert werden, gibt es einige Formulierungen, die in den Texten immer wieder vorkommen.

 Was macht ein Forscher? Ordnen Sie den Nomen passende Verben zu.

Daten	• anwenden, entwickeln
die Realität	• durchführen
das Gegenteil	• behaupten, beweisen
Begriffe	• erforschen, untersuchen
Untersuchungen	• aufstellen, belegen, beweisen, kritisieren, widerlegen
Methoden	• analysieren, auswerten, erfassen, sammeln
Behauptungen	• definieren

 Sind die Informationen der Schlüsselwörter in Item und Text gleich (=) oder unterschiedlich (≠)? Wie ist die Lösung des Items?

		Ja	Nein	Text sagt dazu nichts
4	Die Wissenschaftler suchen noch nach Wegen zur Erforschung des Lächelns.			

Text Die Emotionsforschung hat in den letzten Jahren differenzierte Methoden entwickelt, um die Mimik in zwischenmenschlichen Interaktionen anhand von Videoaufzeichnungen detailliert zu analysieren und objektiv zu erfassen.

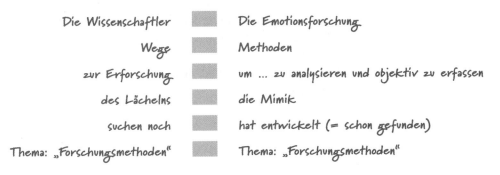

Ü10   **Lesen Sie die Textstelle, die zu Item 5 passt. Ergänzen Sie dann die folgenden Lücken.**

Lächeln ist besonders geeignet, _____.
Denn damit kann man seinem Partner immer wieder zeigen, dass man sich ihm
emotional _____ fühlt, obwohl _____.

Stimmt diese Aussage Ja/Nein? Oder ist keine Information dazu vorhanden? Markieren Sie die richtige Antwort.

		Ja	Nein	Text sagt dazu nichts
5	Lächeln sorgt dafür, dass ein Streit nicht zu verletzend wird.			

Text   Lächeln ist zur Konfliktregulierung besonders geeignet, weil damit dem Partner trotz des Auftretens negativer Emotionen immer wieder emotionale Vebundenheit signalisiert werden kann.

Erklärung:
Durch Lächeln kann man Konflikte regulieren, man kann also dafür sorgen, dass ein Streit nicht zu verletzend wird (dass der Streit nicht eskaliert / zu heftig wird). Denn man zeigt dem Partner durch ein Lächeln, dass man positive Gefühle für ihn hat (dass man ihn mag / emotionale Verbundenheit signalisieren), auch wenn man sich momentan streitet. Die Informationen von Text und Item stimmen überein. Die Antwort ist „Ja".

Haben Text und Item das gleiche Thema?

Um zu entscheiden, ob Text und Item das gleiche Thema haben, die Antwort also „Nein" ist oder „Text sagt dazu nichts", sollten Sie sich auf die Hauptaussage des Textabschnitts konzentrieren.

Ü11   **Finden Sie eine passende Überschrift.**

_____

Außerdem ergab ein Vergleich zwischen männlichem und weiblichem Verhalten, dass die Ärger auslösenden Themen (z. B. Unpünktlichkeit des Partners) vorwiegend von den Frauen eingebracht wurden. Die Frauen waren in der Konversation aktiver, stellten mehr Fragen und versuchten immer wieder, durch „Interessebekundungssignale" wie „mhm", „ja" oder durch ein Lächeln ihren Gesprächspartner zu unterstützen. Es konnte auch festgestellt werden, dass Frauen signifikant häufiger lachen als Männer.

Ü 12 Vergleichen Sie die Zusammenfassung des Textabschnitts mit dem Item. Behandeln Text und Item das gleiche Thema?
Setzen Sie das Zeichen = (gleich) oder ≠ (anderes Thema) in die Lücke.

Item 6		**Zusammenfassung des Abschnitts**
Männer verstehen bei Streitigkeiten die Argumente der Frauen oft nicht.		Geschlechts-spezifisches Verhalten in Streitgesprächen

Tipps für die Bearbeitung

Lösungsschritte
– Text vollständig lesen
– Items vollständig lesen
– Schlüsselwörter in den Items markieren
– Synonyme und Umschreibungen der Schlüsselwörter im Text suchen
– Nummer der Items neben dem Text notieren
– gleiche Informationen im Text kennzeichnen
Sind alle Informationen in Text und Item gleich, ist die Lösung des Items „Ja".

Schwierige Items
– unterschiedliche Informationen in Items und Text kennzeichnen
– Thema des Textabschnittes und des Items formulieren und vergleichen
Ist das Thema gleich, aber eine Einzelinformation unterschiedlich (oft gegensätzlich),
ist die Antwort „Nein".
Ist das Thema von Item und Text unterschiedlich, d. h. Sie finden im Text gar keine
Informationen zu der Aussage des Items, so ist die Lösung „Text sagt dazu nichts".

Lösungen auf das Antwortblatt übertragen
– Lösungen für alle drei Leseverstehensaufgaben auf das Antwortblatt übertragen
– Lösungen auf dem Antwortblatt nochmals kontrollieren
– für alle Items Lösungen markieren

 Ü 13 Sie können zur Wiederholung die vollständige Aufgabe
(S. 56/57) noch einmal lösen.

Allgemeines zum Prüfungsteil Hörverstehen

Prüfungsziel

Im Prüfungsteil Hörverstehen sollen Sie zeigen, dass Sie im Hochschulalltag gehörte Texte verstehen und ihnen wichtige Informationen entnehmen können. Hierbei geht es um
– das gezielte und detaillierte Verstehen von Informationen,
– das globale Verstehen von Informationen.

Sie sollen sowohl Dialoge in alltäglichen Situationen (Hörtext 1) als auch Interviews und Gesprächsrunden zu studienbezogenen und allgemeinwissenschaftlichen Themen mit mehreren Gesprächsteilnehmern verstehen können (Hörtext 2). Darüber hinaus sollen Sie auch einem Vortrag zu einem wissenschaftlichen Thema oder einem Interview eines Wissenschaftlers folgen können (Hörtext 3). Spezielle Fachkenntnisse benötigen Sie jedoch nicht.

Aufbau und Ablauf

Sie erhalten bei Beginn des Prüfungsteils ein Aufgabenheft und ein Antwortblatt.

Anleitung zum Prüfungsteil

Hörtext 1	8 Fragen	1 Mal hören
Hörtext 2	10 Aussagen	1 Mal hören
Hörtext 3	7 Fragen	2 Mal hören

Zeit zum Übertragen der Lösungen auf das Antwortblatt: 10 Min.

Der Prüfungsteil Hörverstehen besteht aus 3 Hörtexten, die unterschiedlich schwierig sind. Zu jedem Hörtext gehören Fragen oder Aussagen (Items), für die Sie eine richtige Lösung finden müssen. Sie erhalten die Anweisungen und die Items zu jedem Hörtext in einem Aufgabenheft. Alle Anweisungen und Hörtexte kommen von einer Hörkassette oder CD, die Sie über Kopfhörer oder einen Lautsprecher hören. Alle Pausen zum Lesen der Items im Aufgabenheft oder zum Überprüfen Ihrer Antworten werden von der Kassette/CD vorgegeben. Ein Signalton zeigt an, wenn eine Pause beendet ist.

Auch wenn Sie gute Sprachkenntnisse haben und die Aufgabe von Hörtext 1 zu leicht finden, müssen Sie diese Aufgabe lösen. Die TestDaF-Niveaustufe für den Prüfungsteil Hörverstehen ergibt sich aus der Gesamtpunktzahl von allen drei Aufgaben (Hörtext 1, 2, 3).

Hörverstehen 1, Erste Übungsaufgabe

Die erste Aufgabe des Prüfungsteils Hörverstehen überprüft, ob Sie die wichtigsten Aussagen eines Gesprächs und einzelne Informationen verstehen können.

Die Aufgabe besteht aus einem kurzen Dialog aus dem studentischen Alltag und 8 Fragen (Items) dazu. Die Fragen sollen durch Stichwörter, die Sie während des Hörens machen, schriftlich beantwortet werden.

Das Thema des Hörtextes und die Gesprächssituation sind jeweils angegeben.

Hörverstehen 1: Items 1–8

Sie sind in der Cafeteria der Universität und hören ein Gespräch zwischen einer Studentin und einem Studenten. Sie hören dieses Gespräch **einmal**.

Lesen Sie jetzt die Aufgaben 1–8.
Hören Sie nun den Text.
Schreiben Sie beim Hören die Antworten auf die Fragen 1–8.
Notieren Sie Stichwörter.

Der Europastudiengang

(0)	In welcher Stadt wird der Student in Zukunft studieren?	***(in) Ingolstadt***
1	Seit wann gibt es den Europastudiengang?	1 _____
2	Aus welchem Grund hat der Student sich für Ingolstadt entschieden? (Nennen Sie einen.)	2 _____
3	In welchem Land möchte der Student einen Teil seiner Studienzeit verbringen?	3 _____
4	In welchem Bereich möchte der Student gerne arbeiten?	4 _____
5	Was lernt man zusätzlich zum Fachstudium?	5 _____
6	Mit welchem Titel schließt man das Studium ab?	6 _____
7	Was wurde dem Studenten über die Berufschancen nach dem Studium gesagt?	7 _____
8	Welchen Abschluss kann der Student in dem Fach auch machen?	8 _____

Hinführungstext

Zur Aufgabe 1 zum Hörverstehen gibt es einen kurzen Hinführungstext, in dem die Gesprächssituation beschrieben wird. Sie erfahren, wer wo spricht. Diese Angaben zeigen Ihnen, ob das
Gespräch eher informell ist (Studenten in der Cafeteria) oder eher formell (Student und Ange-
stellter, Dozent …). Markieren Sie also zuerst nur, wer wo spricht.

 Ü1 **Markieren Sie im Hinführungstext die Informationen über den Ort
und die Gesprächsteilnehmer.**

> Sie sind in der Cafeteria der Universität und hören ein Gespräch zwischen
> einer Studentin und einem Studenten. Sie hören dieses Gespräch **einmal**.

Tipp

Nach der Situations-
beschreibung folgt diese
Arbeitsanweisung:

| Lesen Sie jetzt die Aufgaben 1–8.
| Hören Sie nun den Text.
| Schreiben Sie beim Hören die Antworten auf die Fragen 1–8.
| Notieren Sie Stichwörter.

Diese Arbeitsanweisung müssen Sie in der Prüfung nicht intensiv lesen, sie verändert sich nicht.

Aktivieren Sie Ihr Vorwissen zum Thema des Hörtextes

Nach dem Hinführungstext folgt die Überschrift. Manchmal ist es nur eine Ortsangabe und
manchmal verrät sie schon etwas über den Inhalt des Gespräches. Überlegen Sie sich ganz kurz,
was Ihnen zu der Überschrift einfällt. Dadurch aktivieren Sie Ihren Wortschatz und es fällt
Ihnen leichter, den Hörtext zu verstehen.

 Ü2 **Was fällt Ihnen zu der Überschrift „Der Europastudiengang" ein?
Notieren Sie Stichwörter.**

_____

_____

Die Items

In der ersten Aufgabe zum Hörverstehen müssen Sie 8 Fragen, die sogenannten Items, beantworten. Das erste Item (0) ist immer ein Beispiel. Die Lösung zu diesem Item ist bereits angegeben.
Die Items 1–8 sollen Sie nach diesem Beispiel lösen.

 Ü3 **Beantworten Sie die Frage in Stichwörtern.**

CD 1, 1

> **Der Europastudiengang**
>
> **(0)** In welcher Stadt wird der Student in Zukunft studieren?   *(in) Ingolstadt*
>
> **1** Seit wann gibt es den Europastudiengang?   _____

Signalwörter in den Items

Sie sollen bei dieser Aufgabe den Hörtext verstehen und gleichzeitig Notizen anfertigen. Sie hören diesen Text nur einmal. Bevor Sie den Text hören, haben Sie aber etwas Zeit, um sich die Fragen durchzulesen. Nutzen Sie diese Zeit und bereiten Sie das Hörverstehen vor.

Da Sie Fragen zum Hörtext beantworten sollen, müssen Sie nicht jede Einzelheit des Textes verstehen, sondern können sich beim Hören auf die gefragten Informationen konzentrieren.

Dazu ist es sinnvoll,

– alle Fragen gründlich zu lesen und
– gleich beim ersten Lesen die Signalwörter in den Items zu markieren.

Die Signalwörter zeigen, worauf Sie beim Hören achten sollen.

Ü4   **Sehen Sie sich die markierten Signalwörter in dem Beispiel an. Kreuzen Sie in der folgenden Übersicht an, welche Wörter in dem Beispiel Signalwörter sind.**

Beispiel:

(0)   In <u>welcher Stadt</u> wird der Student in Zukunft <u>studieren</u>?   ***(in) Ingolstadt***

1   <u>Seit wann</u> gibt es den <u>Europastudiengang</u>?   _____

| ▪ **Präpositionen** | ▪ **Fragewörter** | ▪ **Adjektive** |
| ▪ **Verben** | ▪ **Nomen** | ▪ **Artikel** |

Ü5   **Markieren Sie die Signalwörter in den Items.**

2   Aus welchem Grund hat der Student sich für Ingolstadt entschieden? (Nennen Sie einen.)   2 _____

3   In welchem Land möchte der Student einen Teil seiner Studienzeit verbringen?   3 _____

4   In welchem Bereich möchte der Student gerne arbeiten?   4 _____

5   Was lernt man zusätzlich zum Fachstudium?   5 _____

6   Mit welchem Titel schließt man das Studium ab?   6 _____

7   Was wurde dem Studenten über die Berufschancen nach dem Studium gesagt?   7 _____

8   Welchen Abschluss kann der Student in dem Fach auch machen?   8 _____

Signalwörter im Hörtext

Die Signalwörter in den Items zeigen Ihnen, worauf Sie sich beim Hören konzentrieren müssen. Oft wird auch in dem Gespräch, das Sie hören, eine ähnliche Frage gestellt wie in dem Item. Allerdings sind die Fragen in dem Gespräch anders formuliert. Oft werden Synonyme für die Signalwörter aus der Frage verwendet.

Beispiel: Signalwörter in den Items und im Hörtext

Item 2	Text
<u>Aus welchem Grund</u> hat der Student sich für <u>Ingolstadt</u> entschieden? (Nennen Sie einen.)	<u>Aber warum</u> gehst du gerade nach <u>Ingolstadt</u>? Es gibt doch auch an anderen Universitäten Europastudiengänge.

 Ü 6   **Markieren Sie die synonymen Formulierungen für die Signalwörter aus den Items (markiert) im Text.**

Items	Text
3 <u>In welchem Land</u> möchte der Student einen Teil seiner Studienzeit verbringen?	**A:** Das ist ja toll! Weißt du schon, wo du im Ausland studieren möchtest?
	D: Ich bin noch nicht sicher, aber vielleicht in Portugal.
4 In <u>welchem Bereich</u> möchte der Student <u>gerne arbeiten</u>?	**A:** Da würde ich auch gerne mal länger leben! Sag mal, was lernst du eigentlich in diesem Studiengang?
5 <u>Was</u> lernt man <u>zusätzlich zum Fachstudium</u>?	**D:** Ach, da stehen viele unterschiedliche Themen auf dem Programm. Ich interessiere mich besonders für die Medien in Europa. Die geschichtlichen Seminare interessieren mich weniger.
	A: Aha, das Studium ist bestimmt interessant. Aber hast du damit auch Chancen auf dem Arbeitsmarkt?
	D: Ich denke schon! In dem Studium lernt man neben dem Fachwissen auch praktische Dinge, wie z. B. ein größeres Projekt zu organisieren. So was braucht man im Beruf ja auch.

Die Antwort im Hörtext finden

Da die Formulierungen der Signalwörter in den Items und im Hörtext unterschiedlich sind, müssen Sie sich beim Hören auf den Inhalt der Aussage konzentrieren. Eine einfache Wort-zu-Wort-Zuordnung ist normalerweise nicht möglich. Die Antwort auf die Frage finden Sie vor oder nach dem Signalwort im Hörtext.

Beispiel: Antworten im Text: <u>Signalwörter</u>, <u>Antwortmöglichkeit</u>

Item 2	Text
<u>Aus welchem Grund</u> hat der Student sich für <u>Ingolstadt</u> entschieden? (Nennen Sie einen.)	**A:** <u>Aber warum</u> gehst du gerade nach <u>Ingolstadt</u>? Es gibt doch auch an anderen Universitäten Europastudiengänge.
	D: Schon, aber <u>in Ingolstadt</u> ist der einzige mit dem <u>Schwerpunkt Literatur und Sprachen</u>. An den anderen Unis muss man sich auf Politik und Wirtschaft spezialisieren. Außerdem <u>lerne</u> ich während des Studiums <u>zwei europäische Sprachen</u> und kann auf jeden Fall <u>ein Semester im Ausland studieren</u>.

Ü7   Markieren Sie nun in Ü 6 <u>die Antworten zu den Fragen</u>.

Notizen machen

Sobald Sie ein Signalwort gehört haben, müssen Sie sich besonders konzentrieren.
Schreiben Sie die Antworten auf die Frage beim Hören in Stichwörtern mit.

– Es ist nicht notwendig, dass Sie vollständige Sätze schreiben.
– Sie dürfen wörtlich mitschreiben, was Sie hören.
– Sie können auch eigene Formulierungen verwenden.
– Sie können Abkürzungen verwenden.
– Kleine Rechtschreibfehler werden toleriert.
– Ihre Antwort soll verständlich sein.
– Die Antwort soll richtig und vollständig sein.
– In der Antwort darf nur das stehen, was im Text gesagt wurde.

Hören Sie aus dem Text zunächst das Beispiel.

Beispiel: Notizen machen

CD 1, 1

| **(0)** | In welcher Stadt wird der Student in Zukunft studieren? | ***(in) Ingolstadt*** |

Ü8   **Sehen Sie sich die Fragen in der Übung an und hören Sie dann den Hörtext. Beantworten Sie anschließend die Fragen in Stichwörtern.**

CD 1, 2

3	In welchem Land möchte der Student einen Teil seiner Studienzeit verbringen?	3 *(in) Portugal*
4	In welchem Bereich möchte der Student gerne arbeiten?	4 _____
5	Was lernt man zusätzlich zum Fachstudium?	5 _____

Das Hörverstehen trainieren

Anfangs fällt es Ihnen vielleicht noch schwer, gleichzeitig zu hören und zu schreiben.
Es kann Ihnen helfen, zuerst das Hörverstehen getrennt zu trainieren.

In der folgenden Übung sollen Sie entscheiden, welche Antwort richtig ist. Lesen Sie zuerst
die Frage. Lesen Sie dann die drei Antwortmöglichkeiten. Hören Sie anschließend den Hörtext
und markieren Sie die richtige Antwort.

Beispiel:

CD **1**, 3

5   Was lernt man zusätzlich zum Fachstudium?

A   Chancen auf dem Arbeitsmarkt zu verbessern ▪

B   Karriereplanung ▪

C   Organisation größerer Projekte ✕

Ü 9

CD **1**, 4

Lesen Sie die Items 6–8. Lesen Sie dann die Antwortmöglichkeiten
zu jedem Item. Hören Sie anschließend den Dialog und markieren Sie
die richtige Antwort.

6   Mit <u>welchem Titel</u> schließt man das Studium ab?

A   Bachelor (B.A.)   ▪

B   Diplom   ▪

C   Magister   ▪

**7   Was wurde dem Studenten über die <u>Berufschancen
nach dem Studium</u> gesagt?**

A   kürzeres Studium als für einen Magister   ▪

B   schlechtere Chancen als mit Magister   ▪

C   so gut wie mit einem Magister   ▪

**8   <u>Welchen Abschluss</u> kann der Student in dem Fach
<u>auch</u> machen?**

A   Bachelor   ▪

B   Doktortitel   ▪

C   Staatsexamen   ▪

Ü 10

CD **1**, 5

Sie können zur Wiederholung die vollständige Aufgabe noch einmal lösen.
Lesen Sie zuerst die Aufgabe (S. 65) und hören Sie anschließend den ganzen
Hörtext. Zum Schluss können Sie das Transkript des Hörtextes (S. 184) lesen.

Hörverstehen 1, Zweite Übungsaufgabe

Hörverstehen 1: Items 1–8

Sie sind in der Universitätsbibliothek und hören ein Gespräch zwischen einer Studentin und einer Angestellten der Bibliothek. Sie hören dieses Gespräch **einmal**.

Lesen Sie jetzt die Aufgaben 1–8.
Hören Sie nun den Text.
Schreiben Sie beim Hören die Antworten auf die Fragen 1–8.
Notieren Sie Stichwörter.

In der Universitätsbibliothek

(0)	Was möchte die Studentin studieren?	*Psychologie*
1	Zu welchem Themengebiet möchte die Studentin mehr wissen?	1 _____
2	Wozu benötigt die Studentin ein Lexikon?	2 _____
3	Wo kann man die CD lesen?	3 _____
4	Wozu empfiehlt die Bibliothekarin das Buch?	4 _____
5	Was erleichtert das Verständnis der Texte?	5 _____
6	Wo kann die Studentin geschichtliche Informationen zum Thema finden?	6 _____
7	Warum kauft die Studentin das Buch nicht?	7 _____
8	Was kann die Studentin machen, wenn Sie einen Text aus dem Buch zu Hause lesen möchte?	8 _____

Aktivieren Sie Ihr Vorwissen zum Thema des Hörtextes.

Der Titel dieser Aufgabe ist „In der Universitätsbibliothek". Wenn der Titel der Aufgabe eine Ortsangabe ist, überlegen Sie, was man an diesem Ort machen kann.

Ü 1   Was kann man in einer Universitätsbibliothek machen?
Notieren Sie in Stichwörtern alles, was Ihnen einfällt.

Signalwörter markieren

Signalwörter sind oft Nomen, Fragewörter oder manchmal Verben. Vor dem Hören sollten Sie diese Wörter in den Fragen markieren. Dann fällt es Ihnen leichter, sich beim Hören auf das Wesentliche zu konzentrieren.

Ü 2   Markieren Sie die Signalwörter.

(0)	Was möchte die Studentin studieren?	*Psychologie*
1	Zu welchem Themengebiet möchte die Studentin mehr wissen?	1 _____
2	Wozu benötigt die Studentin ein Lexikon?	2 _____
3	Wo kann man die CD lesen?	3 _____
4	Wozu empfiehlt die Bibliothekarin das Buch?	4 _____
5	Was erleichtert das Verständnis der Texte?	5 _____
6	Wo kann die Studentin geschichtliche Informationen zum Thema finden?	6 _____
7	Warum kauft die Studentin das Buch nicht?	7 _____
8	Was kann die Studentin machen, wenn Sie einen Text aus dem Buch zu Hause lesen möchte?	8 _____

Vermutungen anstellen

Wenn Sie vor dem Hören des Dialogs noch etwas Zeit haben, können Sie sich überlegen, wie die Antworten auf die Fragen lauten könnten. Stellen Sie Vermutungen an.

Ü 3   Wie könnten die Antworten auf die Fragen lauten? Notieren Sie Ihre Vermutungen.

1	Zu <u>welchem Themengebiet</u> möchte die Studentin mehr wissen?	1 _____
2	<u>Wozu</u> benötigt die Studentin ein <u>Lexikon</u>?	2 _____
3	<u>Wo</u> kann man die <u>CD lesen</u>?	3 _____
4	<u>Wozu</u> empfiehlt die Bibliothekarin <u>das Buch</u>?	4 _____

Ü 4 Hören Sie den Text und notieren Sie die Antworten auf die Fragen in Stichwörtern. Vergleichen Sie dann ihre Vermutungen von Ü 3 mit Ihren Notizen.

CD **1**, 6

1	Zu <u>welchem Themengebiet</u> möchte die Studentin mehr wissen?	1 *Hirnforschung*
2	<u>Wozu</u> benötigt die Studentin ein <u>Lexikon</u>?	2 _____
3	<u>Wo</u> kann man die <u>CD lesen</u>?	3 _____
4	<u>Wozu</u> empfiehlt die Bibliothekarin das <u>Buch</u>?	4 _____

Häufige Fehler bei der ersten Aufgabe zum Hörverstehen

Es gibt einige Fehler, die bei der ersten Aufgabe zum Hörverstehen häufig gemacht werden:

a) Man schreibt, was man weiß, nicht, was man hört

Bei der Frage 3, „Wo kann man die CD lesen?", konnten Sie vielleicht schon einen Teil der Antwort erraten. Möglicherweise gibt es in der Universitätsbibliothek Ihrer Universität einen extra Computerraum, in dem Studierende arbeiten können. Dann haben Sie in Übung 3 als Antwort eventuell „Im Computerraum" geschrieben. Im Text wird aber gesagt, dass man die CD im Lesesaal lesen kann. Die Antwort „Im Computerraum" ist falsch, auch wenn es diese Möglichkeit an manchen Universitäten gibt.

b) Die richtige Antwort wird an der falschen Stelle notiert. Das kann beim Mitschreiben oder beim Übertragen der Antworten auf das Antwortblatt schnell passieren. Nehmen Sie sich deshalb in der Prüfung kurz Zeit, um die Items mit Ihren Antworten zu vergleichen.

In der folgenden Übung sehen Sie die Fragen 5–8 zum Hörtext und Lösungen dazu.
Hören Sie den Hörtext und entscheiden Sie, ob die Antworten richtig oder falsch sind. Begründen Sie danach Ihre Entscheidung. Als richtige Antwort zählt nur, was im Text gesagt wird. Notieren Sie also bitte nur das, was Sie hören.

Ü 5 Markieren Sie: Sind die Antworten richtig (r) oder falsch (f)?
Bei falschen Antworten schreiben Sie bitte, warum die Antwort falsch ist.

			r	*f*	*Begründung*
Beispiel:	**5**	Was <u>erleichtert</u> das <u>Verständnis</u> der Texte? *Antwort: mit dem Studium anfangen*	☐	☒	*keine Antwort auf die Frage*
	6	Wo kann die Studentin <u>geschichtliche</u> Informationen zum Thema finden? *Antwort: im Internet*	☐	☐	_____
CD **1**, 7	**7**	<u>Warum kauft</u> die Studentin das Buch <u>nicht</u>? *Antwort: Artikel von CD ausdrucken*	☐	☐	_____
	8	<u>Was</u> kann die Studentin <u>machen</u>, wenn Sie einen <u>Text</u> aus dem Buch <u>zu Hause lesen</u> möchte? *Antwort: zu teuer, 596,– €*	☐	☐	_____

Tipps für die Bearbeitung

Beim Hörverstehen ist die Zeit, die Sie für die einzelnen Aufgaben haben, durch die Kassette vorgegeben. Sie haben vor dem Hören kurz Zeit, die Aufgabe vorzubereiten. Während des Hörens müssen Sie dann schnell mitschreiben. Nach dem Hören bleibt wieder etwas Zeit, um ihre Antworten zu kontrollieren. Hier sehen Sie noch einmal kurz, worauf Sie bei der Bearbeitung der Aufgabe 1 zum Hörverstehen achten sollten:

Vor dem Hören
– Überschrift lesen: Was wissen Sie schon zu dem Thema?
– alle Items lesen
– Schlüsselwörter unterstreichen
– Vermutungen anstellen: Wie könnte die Antwort lauten?

Beim Hören
– auf Frage der Items (Signalwörter) konzentrieren
– Antworten in Stichwörtern notieren (Sie dürfen bei Ihrer Mitschrift Abkürzungen verwenden.)
– nicht zu lange bei einem Item bleiben

Nach dem Hören
– Antworten formulieren: korrekt und vollständig
– nur auf Deutsch antworten
– keine Abkürzungen verwenden
– kontrollieren, ob die Antworten zu den Aufgaben passen
– kontrollieren, ob Antworten einen Sinn ergeben

Sie können zur Wiederholung die vollständige Aufgabe noch einmal lösen.
Lesen Sie zuerst die Aufgabe (S. 71) und hören Sie anschließend den ganzen Hörtext. Zum Schluss können Sie das Transkript des Hörtextes (S. 184) lesen.

CD 1, 8

Hörverstehen 2, Erste Übungsaufgabe

Die zweite Aufgabe zum Hörverstehen besteht aus einem etwas längeren Gespräch (meist 3–4 Personen) und 10 Aussagen zu diesem Gespräch, den sogenannten Items. Sie sollen entscheiden, ob im Text die gleichen Informationen gegeben werden wie in den Items (richtig) oder nicht (falsch). Entscheidend ist dabei, ob der Text diese Information gibt, nicht, ob Sie der Aussage zustimmen! Nicht Ihre Meinung oder Ihr Wissen werden bewertet, sondern Ihre Sprachfähigkeit.

Hörverstehen 2: Items 1–8

Sie hören ein Radiointerview mit drei Gesprächsteilnehmern zum Thema „Wissenschaftliche Arbeiten aus dem Internet". Sie hören dieses Interview **einmal**.

Lesen Sie jetzt die Aufgaben 1–8.
Hören Sie nun das Interview.
Entscheiden Sie beim Hören, welche Aussagen richtig, welche falsch sind.
Markieren Sie die passende Antwort.

Wissenschaftliche Arbeiten aus dem Internet

		richtig	falsch
(0)	Im Durchschnitt arbeiten Studierende 2 Jahre an ihrer Abschlussarbeit.	■	☒
1	Bisher wissen nur wenige Studierende, wo man wissenschaftliche Arbeiten im Internet finden kann.	■	■
2	Der Deutsche Hochschulverband hilft Dozenten bei der Überprüfung wissenschaftlicher Texte.	■	■
3	Man weiß nicht genau, wie hoch der Anteil kopierter Arbeiten in Deutschland ist.	■	■
4	Prof. Schiedermair ist dafür, dass Studierende, die eine gefälschte Arbeit abgeben, eine Strafe bekommen.	■	■
5	Viele Studierende haben nicht das Gefühl, dass das Kopieren wissenschaftlicher Arbeiten etwas Verbotenes ist.	■	■
6	Prof. Schiedermair schlägt vor, für das Kopieren von wissenschaftlichen Arbeiten das englische Wort „downloaden" zu verwenden.	■	■
7	In den USA existieren Programme zur Überprüfung von Seminararbeiten.	■	■
8	Durch Kontrollprogramme aus dem Internet ist die Zahl gefälschter Arbeiten in Deutschland bereits zurückgegangen.	■	■

Der Hinführungstext

Die erste wichtige Information auf dem Aufgabenblatt steht im Hinführungstext.
Dort erfahren Sie das Thema und wie viele Personen an dem Gespräch teilnehmen.

 Ü 1 **Lesen Sie den Hinführungstext. Wie viele Personen werden Sie hören?**
Was ist das Thema?

> Sie hören ein Radiointerview mit drei Gesprächsteilnehmern zum Thema
> „Wissenschaftliche Arbeiten aus dem Internet".

Tipp Nach der Situations-
beschreibung folgt diese
Arbeitsanweisung:

Lesen Sie jetzt die Aufgaben.
Hören Sie nun das Interview.
Entscheiden Sie beim Hören, welche Aussagen richtig oder falsch sind.
Markieren Sie die passende Antwort.

Diese Arbeitsanweisung müssen Sie in der Prüfung nicht intensiv lesen, sie verändert sich nicht.

Aktivieren Sie Ihr Vorwissen zu dem Thema

Die Überschrift „Wissenschaftliche Arbeiten aus dem Internet" gibt Informationen über den Inhalt
des Textes. Wissenschaftliche Arbeiten sind alle Texte, die von Studierenden oder Wissenschaftlern
geschrieben werden. Überlegen Sie sich kurz, welche wissenschaftlichen Arbeiten Sie kennen.

 Ü 2 **Wann schreibt man die folgenden Arbeiten? Ordnen Sie zu.**

Klausur • Doktorarbeit • Diplomarbeit • Referat •
Hausarbeit • Habilitationsschrift • Hauptseminararbeit •
Proseminararbeit • Examensarbeit • Magisterarbeit

während *des Studiums*	*zum Abschluss* *des Studiums*	*nach Abschluss* *des Studiums*

 Ü 3 **Was glauben Sie, worüber informiert der Text**
„Wissenschaftliche Arbeiten aus dem Internet"?

a) Man kann viele Informationen über wissenschaftliche Themen
im Internet finden. Diese Informationen helfen beim Verfassen
von Referaten, Hausarbeiten etc.

b) Man kann Referate, Hausarbeiten und Diplomarbeiten im Internet finden und von dort herunterladen.

c) Wenn man eine Arbeit im wissenschaftlichen Bereich sucht, kann man im Internet Stellenangebote finden.

Signalwörter in den Items markieren

Sie hören den Text nur einmal. Er dauert etwa 4 Minuten. Die Items werden in der Reihenfolge des Hörtextes gestellt. Das heißt, Item 1 fragt nach einer Aussage am Anfang des Textes, Item 8 bezieht sich auf das Ende des Textes.

Sie müssen sich beim Hören sehr genau auf die Items konzentrieren und die Lösungen bereits ankreuzen, während Sie hören. Bereiten Sie deshalb den Hörprozess gut vor. Lesen Sie alle Items und markieren Sie die Signalwörter.

 Ü 4 **Markieren Sie die Signalwörter in den Items.**

(0) Im Durchschnitt arbeiten Studierende 2 Jahre an ihrer Abschlussarbeit.

1 Bisher wissen nur wenige Studierende, wo man wissenschaftliche Arbeiten im Internet finden kann.

2 Der Deutsche Hochschulverband hilft Dozenten bei der Überprüfung wissenschaftlicher Texte.

3 Man weiß nicht genau, wie hoch der Anteil kopierter Arbeiten in Deutschland ist.

4 Prof. Schiedermair ist dafür, dass Studierende, die eine gefälschte Arbeit abgeben, eine Strafe bekommen.

5 Viele Studierende haben nicht das Gefühl, dass das Kopieren wissenschaftlicher Arbeiten etwas Verbotenes ist.

6 Prof. Schiedermair schlägt vor, für das Kopieren von wissenschaftlichen Arbeiten das englische Wort „downloaden" zu verwenden.

7 In den USA existieren Programme zur Überprüfung von Seminararbeiten.

8 Durch Kontrollprogramme aus dem Internet ist die Zahl gefälschter Arbeiten in Deutschland bereits zurückgegangen.

Synonyme und Umschreibungen für die Signalwörter suchen

Bei der zweiten Aufgabe zum Hörverstehen sollen Sie beurteilen, ob die Informationen
in den Items mit dem Text übereinstimmen (richtig) oder nicht (falsch).
Die Informationen sind in den Hörtexten jedoch anders formuliert als in den Items.

Beispiel für unterschiedliche Formulierungen in Items und Hörtext:

Item 3	Text
Man <u>weiß nicht genau, wie hoch</u> der <u>Anteil kopierter Arbeiten</u> in <u>Deutschland</u> ist.	**Interviewer:** (…) Können Sie mir sagen, <u>wie weit falsche Hausarbeiten</u> an den Universitäten der <u>Bundesrepublik verbreitet</u> sind? (…)
	Prof. Schiedermair: (…) Wir haben <u>keine zuverlässigen Zahlen über die Verbreitung gefälschter Hausarbeiten in Deutschland</u>. Schätzungen aus Amerika aber sind geradezu erschreckend. In <u>Deutschland</u> gibt es <u>bisher nur Stichproben</u>: Von 34 von Studierenden abgelieferten Texten waren beispielsweise 12 aus dem Internet.

In diesem Beispiel hören Sie in der Frage des Interviewers zunächst Synonyme und
Umschreibungen für einige Signalwörter:

kopierte Arbeiten	=	falsche Hausarbeiten
Deutschland	=	Bundesrepublik
wie hoch der Anteil ist	=	wie weit verbreitet

Der Interviewer fragt in anderen Worten, wie hoch der Anteil kopierter Arbeiten in
Deutschland ist. Dies ist das Signal für Sie, sich besonders auf Prof. Schiedermairs Antwort
zu konzentrieren. Da der Hörtext ein Gespräch ist, wird der Text durch die Fragen des Interviewers strukturiert. Oft folgt auf die Frage des Interviewers die Textstelle, auf die sich ein
Item bezieht.

In Prof. Schiedermairs Antwort finden Sie ebenfalls Synonyme und Umschreibungen
für die Signalwörter der Items:

Man weiß nicht genau	=	Wir haben keine zuverlässigen Zahlen
wie hoch der Anteil ist	=	über die Verbreitung
kopierter Arbeiten	=	gefälschter Hausarbeiten

Alle Inhaltspunkte der Aussage des Hörtextes entsprechen der Aussage in dem Item.
Die Lösung für dieses Item ist also richtig.

Wenn Sie in der Prüfung vor dem Hören noch Zeit haben, überlegen Sie sich Synonyme
für einige Schlüsselwörter der Items. Dann können Sie beim Hören leichter entscheiden,
ob die Antwort richtig oder falsch ist.

Ü5 Wie kann man es anders sagen?
Suchen Sie Synonyme oder Umschreibungen für die markierten Begriffe.

1 Bisher <u>wissen</u> nur <u>wenige Studierende</u>, wo
man <u>wissenschaftliche</u> <u>Arbeiten</u> im Internet
<u>finden kann</u>.

_____

_____

2 Der Deutsche Hochschulverband <u>hilft</u> Dozenten
<u>bei der Überprüfung</u> wissenschaftlicher Texte.

_____

_____

4 Prof. Schiedermair <u>ist dafür</u>, dass Studierende,
die eine <u>gefälschte Arbeit</u> abgeben, eine <u>Strafe</u>
<u>bekommen</u>.

_____

_____

5 Viele Studierende <u>haben nicht das Gefühl</u>,
dass das <u>Kopieren</u> wissenschaftlicher Arbeiten
<u>etwas Verbotenes</u> ist.

_____

_____

Unterschiede zwischen Item und Hörtext finden

Wenn alle Inhaltspunkte des Items mit der Aussage des Hörtextes übereinstimmen, kreuzen Sie „richtig" an. Wenn die Aussage des Items oder ein Teil der Aussage (ein Inhaltspunkt) nicht mit dem Hörtext übereinstimmt, kreuzen Sie „falsch" an.

Ü6 Ist das folgende Item richtig oder falsch? Markieren Sie die Inhaltspunkte in Item und Text: <u>gleicher Inhalt</u>, <u>anderer Inhalt</u>.

Item 2	Text
Der Deutsche Hochschul-verband hilft Dozenten bei der Überprüfung wissen-schaftlicher Texte.	Der Deutsche Hochschulverband DHV will etwas gegen das Kopieren von Arbeiten aus dem Internet tun. Er forderte Professoren offiziell zur Kontrolle der abgegebenen Arbeiten auf.

Unterschiede zwischen Item und Hörtext hören

Wenn man den Text liest, kann man sehr schnell sehen, ob die Aussagen übereinstimmen. Beim Hören ist das schwieriger, denn Sie hören den Text nur einmal.
Sehen Sie sich die Items 1–5 in der folgenden Übung noch einmal an. Hören Sie anschließend den Hörtext. Konzentrieren Sie sich beim Hören ganz auf die Aussage der Items. Wird das im Text gesagt? Ja (richtig) oder nein (falsch)?

Ü7 Markieren Sie die passende Antwort (richtig oder falsch).

richtig   falsch

CD 1, 9

(0) Im <u>Durchschnitt</u> arbeiten <u>Studierende 2 Jahre</u> an ihrer <u>Abschlussarbeit</u>.

	richtig	falsch

1 Bisher <u>wissen</u> nur <u>wenige Studierende, wo</u> man <u>wissenschaftliche Arbeiten im Internet</u> finden kann. ▪ ▪

2 Der <u>Deutsche Hochschulverband (DHV) hilft</u> Dozenten bei der <u>Überprüfung wissenschaftlicher Texte</u>. ▪ ▪

3 Man <u>weiß nicht genau, wie hoch</u> der <u>Anteil kopierter Arbeiten in Deutschland</u> ist. ▪ ▪

4 Prof. <u>Schiedermair</u> ist <u>dafür</u>, dass Studierende, die eine <u>gefälschte Arbeit</u> abgeben, eine <u>Strafe</u> bekommen. ▪ ▪

5 Viele <u>Studierende</u> haben <u>nicht das Gefühl</u>, dass das <u>Ko</u>-<u>pieren</u> wissenschaftlicher Arbeiten etwas <u>Verbotenes</u> ist. ▪ ▪

Falsche Aussagen erkennen

Oft wird bei einem falschen Item genau das Gegenteil von dem gesagt, was man im Text hören kann.

Item 1	**Text**
Bisher <u>wissen</u> nur <u>wenige</u> Studierende, <u>wo</u> man <u>wissenschaftliche Arbeiten im Internet</u> finden kann.	Die Arbeiten sind nach Themen sortiert <u>unter Internetadressen</u> zu finden, die <u>den meisten Studenten bekannt</u> sind.

Erklärung:

In Item und Text gibt es ähnliche Informationen:

wissen ..., wo man etwas im Internet finden kann   =   Internetadressen ... sind bekannt

Aber in einem wichtigen Punkt stimmen die Informationen in Item und Text nicht überein:

nur wenige   ←→   die meisten

In dem Item wird das Gegenteil von dem ausgesagt, was im Text zu hören ist. Überlegen Sie sich für wichtige Wörter nicht nur Synonyme und Umschreibungen, sondern auch das Gegenteil.

Ü 8 **Wie heißt das Gegenteil? Notieren Sie zusammengehörige Begriffe.**

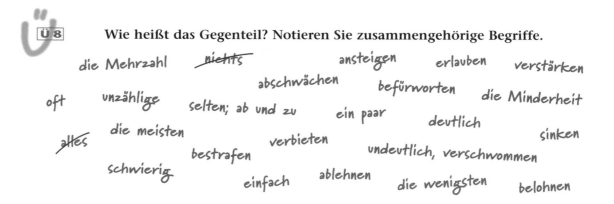

die Mehrzahl   ~~nichts~~   ansteigen   erlauben   verstärken

oft   unzählige   selten; ab und zu   ein paar   die Minderheit

~~alles~~   die meisten   verbieten   undeutlich, verschwommen   deutlich   sinken

schwierig   bestrafen   einfach   ablehnen   die wenigsten   belohnen

abschwächen   befürworten

Komplexe Aussagen verstehen

Leider ist die Lösung nicht immer so einfach zu finden wie in Item 1. Manchmal müssen Sie längere Textpassagen verstehen, um zu beurteilen, ob die Aussage eines Items richtig oder falsch ist.

Markieren Sie die Inhaltspunkte in Item und Text:
<u>gleicher Inhalt</u>, <u><u>anderer Inhalt</u></u>.

Item 6	Text
Prof. Schiedermair schlägt vor, für das Kopieren von wissenschaftlichen Arbeiten das englische Wort „downloaden" zu verwenden.	**Schiedermair:** „Statt Betrug und Diebstahl nennt man das Kopieren von fremden Arbeiten einfach ‚downloaden' also auf Deutsch ‚herunterladen'. Durch die Veränderung der Sprache, also durch die Verwendung eines englischen Ausdrucks, verändert sich hier auch der Inhalt und damit das Bewusstsein, etwas Verbotenes zu tun. Denn etwas aus dem Internet herunterzuladen ist nicht so schlimm wie etwas zu stehlen. Als Erstes muss man deshalb klar sagen: Wer Arbeiten aus dem Internet herunterlädt, der stiehlt geistiges Eigentum."

Zusammenfassung

Die vorangehende Übung zeigt, dass diese Aufgabe zum Hörverstehen neben dem Verständnis von Einzelinformationen auch das Verständnis recht komplexer Sachverhalte prüft. Sie sollen die Aussage des gesamten Items verstehen und zum Teil längere Textstellen hören, um die Frage zu beantworten. Das Markieren der Signalwörter und die Suche von Synonymen und gegensätzlichen Formulierungen können Ihnen das Verständnis erleichtern. Der Verstehensprozess geht jedoch über die Wortebene hinaus.

Notieren Sie Synonyme und Umschreibungen für die einfach unterstrichenen Wörter. Suchen Sie zu den doppelt unterstrichenen Wörtern ein Synonym und einen Begriff, der das Gegenteil ausdrückt.

7 In den <u>USA</u> <u>existieren</u> <u>Programme zur Überprüfung</u> von Seminararbeiten.

8 Durch <u>Kontrollprogramme</u> aus dem Internet ist die <u>Zahl gefälschter Arbeiten</u> in Deutschland bereits <u><u>zurückgegangen</u></u>.

Entscheiden Sie beim Hören, welche Aussagen richtig, welche falsch sind. Markieren Sie die passende Antwort.

CD 1, 10

		richtig	falsch
7	In den USA existieren Programme zur Überprüfung von Seminararbeiten.	◼	◼
8	Durch Kontrollprogramme aus dem Internet ist die Zahl gefälschter Arbeiten in Deutschland bereits zurückgegangen.	◼	◼

CD 1, 11

Sie können zur Wiederholung die vollständige Aufgabe noch einmal lösen.
Lesen Sie zuerst die Aufgabe (S. 75) und hören Sie anschließend den kompletten Hörtext. Abschließend können Sie das Transkript des vollständigen Hörtextes (S. 185) lesen.

Hörverstehen 2, Zweite Übungsaufgabe

Hörverstehen 2: Items 1–6

Sie hören ein Radiointerview mit drei Gesprächsteilnehmern zum Thema „Forschungsevaluation und Hochschulfinanzierung in Europa". Sie hören dieses Interview **einmal**.

Lesen Sie jetzt die Aufgaben 1–6.
Hören Sie nun das Interview.
Entscheiden Sie beim Hören, welche Aussagen richtig, welche falsch sind.
Markieren Sie die passende Antwort.

Forschungsevaluation und Hochschulfinanzierung in Europa

		richtig	falsch
(0)	In der Bundesrepublik werden noch keine Evaluationen von Universitäten durchgeführt.	◻	✕
1	In einigen europäischen Staaten ist die Finanzierung der Universitäten von den Ergebnissen der Evaluationen abhängig.	◻	◻
2	Herr Orr lehnt die Evaluation von Universitäten ab.	◻	◻
3	Ein Kriterium bei Evaluationen ist, wie viele wissenschaftliche Texte die Forscher veröffentlichen.	◻	◻
4	Wichtig für eine positive Beurteilung ist, dass Forschungsergebnisse einer Universität auch im Ausland anerkannt werden.	◻	◻
5	Evaluationen ermöglichen es den Hochschulen, ihre Forschungsergebnisse bekannt zu machen.	◻	◻
6	Evaluationen führen nach Meinung von Herrn Orr zur Schließung von Universitäten.	◻	◻

Aktivieren Sie Ihr Vorwissen zum Thema

Vor dem Hören sollten Sie kurz überlegen, was Sie schon über das Thema „Forschungsevaluation und Hochschulfinanzierung in Europa" wissen. Das erleichtert Ihnen das Verständnis des Hörtextes.

Ü1   **Markieren Sie die richtige Antwort.**

1   Als Forschungsevaluation bezeichnet man …

A   die Schätzung der voraussichtlichen Kosten eines wissenschaftlichen Projektes.

B   die Erstellung von Lehrplänen an der Universität.

C   die Beurteilung von wissenschaftlichen Arbeiten.

2   Wie werden die deutschen Hochschulen finanziert?

A   Die meisten Universitäten in Deutschland sind privat und werden durch Studiengebühren und von der Industrie finanziert.

B   Es gibt etwa gleich viele staatliche und private Universitäten. Sie werden vom Staat und durch Studiengebühren finanziert.

C   Die meisten Universitäten in Deutschland sind staatlich. Sie werden vom Staat finanziert und erhalten für einzelne Projekte Gelder von der Industrie.

Ü2   **Ergänzen Sie die folgenden Worterklärungen.**

Auswertung ● beurteilen ● erforscht ● Experten ● geforscht ● geplante ● Resultat ● Themenkomplex ● wissenschaftlicher

1   Ein Hochschulforscher ist ein Wissenschaftler, der bestimmte Fragen zu Hochschulen und zum Hochschulwesen _____.

2   Als Forschungsevaluation bezeichnet man die _____

und Bewertung _____ Arbeiten.

3   Eine Gutachtergruppe besteht aus mehreren _____,

die etwas _____.

4   Ein Forschungsergebnis ist das _____ einer wissenschaftlichen Arbeit.

5   Unter einem Forschungsvorhaben versteht man eine _____ wissenschaftliche Untersuchung.

6   Ein Forschungsschwerpunkt ist ein bestimmter _____, zu dem an einer Universität oder an einem Fachbereich besonders viel _____ wird.

Häufig vorkommende Begriffe trainieren

Da die Hörtexte oft aus Interviews zu Forschungsprojekten an der Universität bestehen, kommen einige Begriffe häufig in den Aufgaben vor.

Ü 3   **Wie heißt das Nomen? Schreiben Sie die Nomen mit Artikel.**

untersuchen	_____	befragen	_____
studieren	_____	vergleichen	_____
promovieren	_____	veröffentlichen	_____
anbieten	_____	publizieren	_____
forschen	_____	habilitieren	_____
finanzieren	_____	voraussetzen	_____
durchführen	_____	auswerten	_____
veranstalten	_____		

Signalwörter markieren

Damit Sie sich beim Hören auf das Wesentliche konzentrieren können, sollten Sie im Hinführungstext markieren, wie viele Personen an dem Gespräch beteiligt sind und zu welchem Thema gesprochen wird. Lesen Sie dann alle Items und markieren Sie die Signalwörter.

Ü 4   **Markieren Sie, wer am Gespräch beteiligt ist, und die Signalwörter.**

> **Hörverstehen 2: Items 1–6**

Sie hören ein Radiointerview mit drei Gesprächsteilnehmern zum Thema „Forschungsevaluation und Hochschulfinanzierung in Europa". Sie hören dieses Interview **einmal**.

Lesen Sie jetzt die Aufgaben 1–6.
Hören Sie nun das Interview.
Entscheiden Sie beim Hören, welche Aussagen richtig, welche falsch sind.
Markieren Sie die passende Antwort.

		richtig	falsch
(0)	In der Bundesrepublik werden noch keine Evaluationen von Universitäten durchgeführt.	▪	✗
1	In einigen europäischen Staaten ist die Finanzierung der Universitäten von den Ergebnissen der Evaluationen abhängig.	▪	▪
2	Herr Orr lehnt die Evaluation von Universitäten ab.	▪	▪
3	Ein Kriterium bei Evaluationen ist, wie viele wissenschaftliche Texte die Forscher veröffentlichen.	▪	▪

4   Wichtig für eine positive Beurteilung ist, dass
     Forschungsergebnisse einer Universität auch im
     Ausland anerkannt werden.

5   Evaluationen ermöglichen es den Hochschulen,
     ihre Forschungsergebnisse bekannt zu machen.

6   Evaluationen führen nach Meinung von Herrn Orr
     zur Schließung von Universitäten.

Das Gegenteil suchen

Bei der zweiten Aufgabe zum Hörverstehen kann die Antwort richtig oder falsch sein.
Bei falschen Antworten steht in dem Item oft das Gegenteil von dem, was Sie in dem Hörtext hören.

Ü 5   **Wie heißt das Gegenteil?**

noch keine _____   abhängig _____

ablehnen _____   positiv _____

wichtig _____   das Ausland _____

ermöglichen _____   bekannt _____

Ü 6   **Lesen Sie zuerst den Lückentext. Hören Sie den Text dann einmal und
ergänzen Sie beim Hören den Text.**

CD *1*, 12

Interviewer: Herr Orr, sie arbeiten als britischer Hochschulforscher in Hannover
und haben (1) _____, wie in England, Irland, den
Niederlanden und in Deutschland Hochschulen (2) _____
werden. Seit einigen Jahren (3) _____ auch in einigen
Bundesländern in Deutschland Evaluationen (4) _____.
Das heißt, die Leistungen der Hochschulen werden bewertet. Sie haben auch
die (5) _____ dieser Evaluationen untersucht. Was
sind denn die (6) _____ zwischen den untersuchten
Ländern?

Orr: Die Hauptunterschiede sind eigentlich dann die (7) _____,
die sich aus den Evaluationen ergeben. In Deutschland und in den
Niederlanden gibt es (8) _____ direkten finanziellen
Konsequenzen von Evaluationen. In Großbritannien und Irland gibt es
(9) _____ sehr wohl; wenn die Leistungen einer Universität
schlecht (10) _____ werden, erhält sie
(11) _____ Geld.

Interviewer: Was bringt uns dieses Ergebnis der Untersuchung?

Orr: In Deutschland werden bisher noch nicht in (12) _____
Bundesländern Evaluationen durchgeführt. Als Erstes kann man daher sagen,
dass es (13) _____ wäre, in ganz Deutschland
Forschungsevaluationen (14) _____, sodass wir dann
mehr über die Leistungen der Hochschulen (15) _____.

CD 1, 12

Ü 7 **Richtig oder falsch? Wird im Hörtext das Gleiche gesagt wie im Item?**
Sehen Sie sich die Übung an und hören Sie dann den Hörtext noch einmal.
Kreuzen Sie beim Hören an, ob die Informationen übereinstimmen (richtig)
oder nicht (falsch).

		richtig	falsch
(0)	In der <u>Bundesrepublik</u> werden <u>noch keine Evaluationen</u> von Universitäten durchgeführt.	■	■
1	In einigen <u>europäischen Staaten</u> ist die <u>Finanzierung der Universitäten von</u> den Ergebnissen der <u>Evaluationen abhängig</u>.	■	■
2	Herr <u>Orr lehnt</u> die <u>Evaluation</u> von Universitäten <u>ab</u>.	■	■

Synonyme finden

Es erleichtert den Hörprozess, wenn Sie für die Signalwörter in den Items Synonyme suchen.

Ü 8 **Notieren Sie Synonyme und Umschreibungen für die markierten Wörter.**

			richtig	falsch
3	Ein <u>Kriterium</u> bei Evaluationen ist, <u>wie viele wissenschaftliche Texte</u> die Forscher <u>veröffentlichen</u>.	_____ _____ _____	■	■
4	Wichtig für eine <u>positive Beurteilung</u> ist, dass <u>Forschungsergebnisse</u> einer Universität auch <u>im Ausland anerkannt werden</u>.	_____ _____ _____	■	■

CD 1, 13

Ü 9 **Richtig oder falsch? Wird im Hörtext das Gleiche gesagt wie in dem Item?**
Sehen Sie sich Übung 8 noch einmal an. Hören Sie dann den Hörtext und
kreuzen Sie beim Hören in Ü 8 an, ob die Informationen übereinstimmen
(richtig) oder nicht (falsch).

CD 1, 14

Richtig oder falsch? Versuchen Sie nun, die Items 5 und 6 zu lösen.
Hören Sie dann den Hörtext und entscheiden Sie beim Hören, ob die Antwort richtig oder falsch ist.

		richtig	falsch
5	Evaluationen ermöglichen es den Hochschulen, ihre Forschungsergebnisse bekannt zu machen.	■	■
6	Evaluationen führen nach Meinung von Herrn Orr zur Schließung von Universitäten.	■	■

Tipps für die Bearbeitung

So können Sie bei der Bearbeitung der Aufgabe vorgehen:

Vor dem Hören
– Überschrift lesen: Was wissen Sie schon zu dem Thema?
– alle Items lesen
– Signalwörter markieren
– Items, die Sie nicht ganz verstanden haben, markieren
– Synonyme für die Schlüsselwörter suchen
– Formulierungen, die das Gegenteil ausdrücken, überlegen
– Vermutungen anstellen

Beim Hören
– auf Signalwörter achten
– nicht zu lange bei einem Item bleiben

Nach dem Hören
– Lösungen kontrollieren
– für alle Items eine Lösung ankreuzen

CD 1, 15

Sie können zur Wiederholung die vollständige Aufgabe noch einmal lösen.
Lesen Sie zuerst die Aufgabe (S. 82) und hören Sie anschließend den ganzen Hörtext. Abschließend können Sie das Transkript des vollständigen Hörtextes (S. 186) lesen.

Hörverstehen 3, Erste Übungsaufgabe

Die dritte Aufgabe zum Hörverstehen überprüft das Verständnis des Gesamtzusammenhangs und einzelner Informationen. Außerdem sollen Sie auch implizite Informationen verstehen, die sich nur indirekt aus dem Text ergeben.

Die Aufgabe besteht aus einem Hörtext und sieben Fragen dazu, den sogenannten Items. Die Fragen sollen durch Stichwörter, die Sie während des Hörens machen, schriftlich beantwortet werden.

Das Thema des Hörtextes und die Gesprächssituation sind jeweils angegeben. Es handelt sich meist um eine Rundfunksendung zu wissenschaftlichen Themen, ein Interview mit längeren Monologen oder um einen Vortrag.

Sie hören den Hörtext zweimal.

Hörverstehen 3: Items 1–6

Sie hören einen kurzes Interview mit dem Wetterexperten von German Watch, Klaus Milke.
Sie hören dieses Interview **zweimal**.

Lesen Sie jetzt die Aufgaben 1–6.
Hören Sie nun den Text ein erstes Mal.
Beantworten Sie beim Hören die Fragen 1–6 in Stichwörtern.

Unwetter als erste Anzeichen der Klimakatastrophe

(0) Was erforscht die Umweltorganisation German Watch?	**(0)**	*(die) Ursachen und Konsequenzen von Klimaveränderungen*
1 Welche Regionen der Erde sind von den Klimaveränderungen betroffen?	1	_____
2 Wie verändert sich das Wetter in bestimmten Regionen? Bitte nennen Sie zwei Veränderungen.	2a 2b	_____ _____
3 Wodurch werden die heutigen Klimaveränderungen verursacht?	3	_____
4 Was unterscheidet die von Menschen verursachten Klimaveränderungen vom natürlichen Klimawandel?	4	_____
5 Wie groß war der Temperaturanstieg von 1900 bis zum Jahr 2000?	5	_____
6 Warum hat die Erderwärmung so schwerwiegende Folgen?	6	_____

Aktivieren Sie Ihr Vorwissen zum Thema

Überlegen Sie kurz, was Sie schon über die Klimakatastrophe wissen. Das erleichtert Ihnen das Verständnis des Hörtextes.

 Ü1 Suchen Sie die passenden Oberbegriffe.

der Regen, der Schnee, der Hagel

der Dauerregen, der Sturm, der Orkan

das Öl, die Kohle

Afrika, Amerika, Asien, Australien, Europa

Kontinente, Erdteile

fossile Brennstoffe

Niederschläge

Unwetter

Ü2 Wie kommt es zur Klimakatastrophe? Bringen sie die folgenden Begriffe in eine Reihenfolge.

Unwetter • Entstehung von Kohlendioxid (CO_2) • Dürre • Zunahme des Autoverkehrs, Industrialisierung • Erderwärmung • Veränderung des Klimas • Verbrennung fossiler Brennstoffe

1 _____   5 _____

2 _____   6 _____

3 _____   7 _____

4 _____   8 _____

 Ü3 Erklären Sie folgende Wörter.

der Dauerregen _____

die Klimakatastrophe _____

der Wetterexperte _____

die Klimaveränderung _____

der Brennstoff _____

die Unwetterperiode _____

die Erderwärmung _____

Signalwörter auf dem Aufgabenblatt markieren

In der Prüfung haben Sie nach dem Austeilen der Aufgabenhefte einige Minuten Zeit, die Fragen zum Hörtext zu lesen. Nutzen Sie diese, um alle Items zu lesen und die Signalwörter zu markieren.

Ü 4 **Markieren Sie die Signalwörter in den Items.**

1   Welche Regionen der Erde sind von den Klimaveränderungen betroffen?

2   Wie verändert sich das Wetter in bestimmten Regionen?
    Bitte nennen Sie zwei Veränderungen.

3   Wodurch werden die heutigen Klimaveränderungen verursacht?

4   Was unterscheidet die von Menschen verursachten Klimaveränderungen
    vom natürlichen Klimawandel?

5   Wie groß war der Temperaturanstieg von 1900 bis zum Jahr 2000?

6   Warum hat die Erderwärmung so schwerwiegende Folgen?

Das Hörverstehen trainieren

Ähnlich wie bei der ersten Aufgabe zum Hörverstehen sollen Sie Notizen zu den Fragen anfertigen. Der Text und die Fragen sind allerdings komplexer als in der ersten Aufgabe zum Hörverstehen. Mit der folgenden Übung können Sie Ihr Hörverstehen trainieren.
Sehen Sie sich zuerst die Items und die möglichen Lösungen in der Übung an. Hören Sie anschließend den Hörtext **zweimal**. Entscheiden Sie dann, welche Lösungen richtig sind und welche falsch.

Ü 5 **Sind die Notizen richtig oder falsch?**

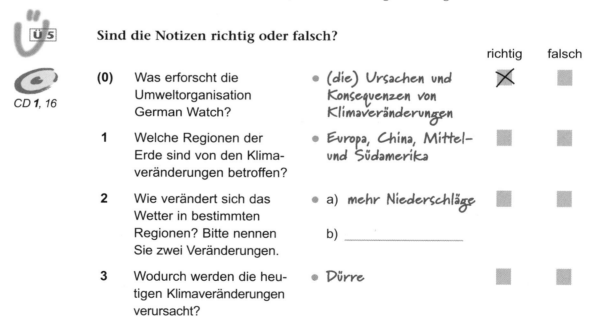

Erklärung

Item 1: Die Länder, die in der Antwort auf Item 1 genannt werden, kommen im Text zwar vor, doch sind sie nur Beispiele für einzelne Krisenregionen und nicht die vollständige Antwort.
Item 2: Wenn bei einem Item zwei Antworten verlangt werden wie in Item 2, so müssen auch zwei Antworten gegeben werden. Sonst ist die ganze Antwort falsch.
Item 3: Dürre ist nach Angaben des Textes ein Zeichen des Klimawandels, nicht seine Ursache.

Die Fragen zum Hörtext werden in der Reihenfolge des Hörtextes gestellt. Wenn Sie alle Items beantwortet haben, kontrollieren Sie noch einmal genau, ob ihre Antworten wirklich zu den Fragen passen.

Hören Sie den Hörtext zweimal und beantworten Sie die Fragen in Stichwörtern.

CD 1, 16

1 Welche Regionen der Erde sind von den Klimaveränderungen betroffen?

_____
_____

2 Wie verändert sich das Wetter in bestimmten Regionen? Bitte nennen Sie zwei Veränderungen.

a) _____
b) _____

3 Wodurch werden die heutigen Klimaveränderungen verursacht?

_____

Beantworten Sie die Fragen in Stichwörtern. Wenn Sie ganze Sätze formulieren, ist das zwar nicht falsch, aber es kostet Zeit.

Achten Sie darauf, dass Sie alle wichtigen Inhaltspunkte notieren. Z. B.: Auf Frage 3 ist die Antwort „CO_2-Ausstöße" nicht ausreichend. Da nach den heutigen Klimaveränderungen gefragt wird, ist wichtig, dass CO_2, das vor fünf oder zehn Jahren produziert wurde, noch heute wirksam ist. Unvollständige Antworten sind in der Prüfung falsch.

Notizen machen

Konzentrieren Sie sich bei Ihren Notizen auf die wesentlichen Informationen. Z. B.: Artikel oder Hilfsverben müssen Sie nicht notieren. Konzentrieren Sie sich auf Nomen und Verben, manchmal Adjektive. Kürzen Sie beim Hören Wörter, die sich wiederholen, ab. Auf dem Antwortbogen sollen Sie aber alle Stichwörter ausschreiben.

Lesen Sie zunächst die Fragen und die drei Antwortmöglichkeiten (A, B und C) dazu. Hören Sie dann den Hörtext. Sind die Antworten (A, B und C) korrekt und vollständig (richtig) oder nicht (falsch)? Es kann auch mehrere richtige Antworten geben.

CD 1, 17

richtig falsch

4 **Was unterscheidet die von Menschen verursachten Klimaveränderungen vom natürlichen Klimawandel?**

A Veränderungen existieren schon immer

B Veränderungen innerhalb kürzester Zeit, schneller

C in 100—150 Jahren so viel verändert wie in der Natur in 100 000 bis 250 000 Jahren

5 **Wie groß war der Temperaturanstieg**
von 1900 bis zum Jahr 2000?

A   *1 Celsius*

B   *6 Grad Celsius*

C   *1 Grad Celsius*

6 **Warum hat die Erderwärmung so**
schwerwiegende Folgen?

A   *Effekte müssen gesehen werden*

B   *Natur anpassen*

C   *Es gibt Rückkoppelungseffekte.*

Erklärung

Item 4: Sie können wörtlich das schreiben, was Sie verstanden haben (Lösung C). Es ist aber auch richtig, wenn Sie die Lösung in eigenen Worten ausdrücken (Lösung B). Eine richtige Lösung wäre auch: „Geschwindigkeit". Das Wort „Geschwindigkeit" kommt zwar nicht in dem Hörtext vor, doch es fasst die Aussage des Textes korrekt zusammen. Text: „Das heißt, Veränderungen, die immer schon existierten, die sich dann aber über 100 000, 250 000 Jahre erstreckt haben, die muten wir uns und dem Planeten innerhalb von kürzester Zeit zu." = heute verändert sich alles schneller als früher (also hat sich die Geschwindigkeit verändert).

Item 5: C ist richtig. A enthält nicht die Maßangabe Grad. Solche unvollständigen Informationen sind falsch. Bei B ist die Zahl 6 falsch.

Item 6: C ist richtig. Aber das Wort ist sehr schwierig. Wahrscheinlich haben Sie es vorher nicht gekannt. Wenn Sie beim ersten Hören nur ein unbekanntes Wort als Antwort gehört haben, konzentrieren Sie sich beim zweiten Hören auf das, was vor und nach diesem Wort gesagt wird. Schwierige Wörter werden im Hörtext erklärt. Diese Erklärungen sind leichter zu notieren als die Begriffe selbst, z. B. „weil die Natur sich anpasst".

Vorbereitung auf die dritte Aufgabe zum Hörverstehen

Die Vorträge oder Gespräche der dritten Aufgabe können aus allen wissenschaftlichen Bereichen stammen. Zur Vorbereitung auf die Prüfung sollten Sie deshalb Texte in den Medien lesen und hören, die wissenschaftliche Forschungsergebnisse vorstellen. Im deutschen Fernseh- und Radioprogramm gibt es Wissenschaftssendungen, die allgemein verständlich über neue Forschungsprojekte berichten. Lesen und hören Sie solche Texte auch in Ihrer Muttersprache. Hintergrundwissen erleichtert den Verstehensprozess in jedem Fall.

CD *1*, 18

Sie können zur Wiederholung die vollständige Aufgabe noch einmal lösen.
Lesen Sie zuerst die Aufgabe (S. 88) und hören Sie anschließend den Hörtext. Abschließend können Sie das Transkript des vollständigen Hörtextes (S. 187) lesen.

Hörverstehen 3, Zweite Übungsaufgabe

Sie hören ein kurzes Interview mit Prof. Kim Plunkett zur Sprachfähigkeit von Babys.
Sie hören dieses Interview **zweimal**.

Lesen Sie jetzt die Aufgaben 1–7.
Hören Sie nun den Text ein erstes Mal.
Beantworten Sie beim Hören die Fragen 1–7 in Stichwörtern.

Warum sprechen Babys nicht?

(0) Welche sprachliche Fähigkeit besitzen
Neugeborene bereits?

(0) *ihre Muttersprache von Fremdsprachen unterscheiden*

1 Was können Kinder in den ersten
Lebensmonaten noch nicht?

1 _____

2 Wie veränderten die Forscher die Wörter
in dem geschilderten Experiment?

2 _____

3 Wie unterscheidet sich die Darstellung bereits
bekannter und neuer Wörter im Gedächtnis?

3 _____

4 Was geschieht, wenn ein Kind ein Wort
mehrmals gehört hat?

4 _____

5 Was wird in dem Hörtext unter „Sprachexplosion" verstanden?

5 _____

6 In welchem Alter ereignet sich diese
„Sprachexplosion"?

6 _____

7 Was ist die Voraussetzung für den Verstehensprozess und die Sprachproduktion?

7 _____

Aktivieren Sie Ihr Vorwissen zum Thema

Überlegen Sie kurz, was Sie über das Thema des Hörtextes wissen. Das erleichtert das Verständnis des Hörtextes.

 Ü1   „Warum sprechen Babys nicht?" Wie würden Sie diese Frage beantworten? Notieren Sie in Stichwörtern Ihre Antwort, bevor Sie den Text hören.

Das Hörverstehen trainieren

Bei der dritten Aufgabe zum Hörverstehen müssen Sie zum Teil sehr komplexe Zusammenhänge verstehen und gleichzeitig Notizen anfertigen. Mit den folgenden Übungen können Sie zunächst Ihr Hörverstehen trainieren und mit Übung 3 und 4 langsam die Notiztechnik einüben. Abschließend können Sie in Übung 5 selbst Notizen zu dem Übungstext anfertigen.

 Ü2   Hören Sie den Hörtext und markieren Sie die richtige Lösung.

CD 1, 19

(0)   Welche sprachlichen Fähigkeiten besitzen Neugeborene bereits?

1   Was können Kinder in den ersten Lebensmonaten noch nicht?

A   Klang und Bedeutung eines Wortes miteinander verbinden

B   ähnliche Laute, z.B. D und B, voneinander unterscheiden

C   Stofftiere erkennen und ihren Namen verstehen

2   Wie veränderten die Forscher die Wörter in dem geschilderten Experiment?

A   deutlicher ausgesprochen

B   falsch ausgesprochen

C   lauter ausgesprochen

3   Wie unterscheidet sich die Darstellung bereits bekannter und neuer Wörter im Gedächtnis?

A   Klang bekannter Wörter deutlicher abgebildet

B   Klang bekannter Wörter undeutlicher abgebildet

C   kein Unterschied, beide werden gleich abgebildet

 Tipp   Achten Sie darauf, dass Sie alle wichtigen Inhaltspunkte notieren, z.B. ist auf Item 0 die Antwort „ihre Muttersprache" nicht ausreichend. Denn Babys beherrschen noch nicht ihre Muttersprache, sondern sie sind lediglich in der Lage, diese von einer anderen Sprache zu unterscheiden. Unvollständige Antworten sind in der Prüfung falsch.

CD 1, 20

4 Was geschieht, wenn ein Kind ein Wort mehrmals gehört hat?

4 Je vertrauter das Kind aber mit dem Wort wird, je öfter es ein Wort hört, desto eindeutiger ist auch die (1) _____ Lautfolge.

5 Was wird in dem Hörtext unter „Sprachexplosion" verstanden?

5 Allerdings lernen Kinder Worte (2) _____ eines nach dem anderen. Irgendwann gibt es eine Sprachexplosion, das Kind erlernt neue Worte dann in einer (3) _____.

6 In welchem Alter ereignet sich diese „Sprachexplosion"?

6 Diese Sprachexplosion, die in der (4) _____ stattfindet, muss daher keinem neuen Entwicklungsprozess entsprechen.

Ü3 Lesen Sie zuerst die Items und den Lückentext in der Übung. Hören Sie anschließend den Hörtext und ergänzen Sie die Lücken.

CD 1, 21

Ü4 Lesen Sie das Item und die drei Lösungsmöglichkeiten. Hören Sie dann den Hörtext. Sind die Antwortmöglichkeiten für Item 7 korrekt und vollständig (richtig) oder nicht (falsch)?

richtig   falsch

7 Was ist die Voraussetzung für den Verstehensprozess und die Sprachproduktion?

A brauchen Zeit und Erfahrung

B bedeutungsvolle Worte verstehen können

C Sprachfluss analysieren können

Erklärung

B: Diese Stichworte erklären den Verstehensprozess, nicht seine Voraussetzung.

C: Der Text sagt, dass Babys den Sprachfluss analysieren können. Aber sie müssen Zeit und Erfahrung haben, bevor sie verstehen und sprechen können.

Tipps für die Bearbeitung

Auch bei der dritten Aufgabe zum Hörverstehen ist eine feste Reihenfolge bei der Lösung hilfreich. Das können Sie in der Prüfung tun:

Vor dem Hören

– Überschrift lesen: Was wissen Sie schon zu dem Thema?

– alle Items lesen

– Schlüsselwörter unterstreichen

– Vermutungen anstellen: Wie könnte die Antwort lauten?

Beim 1. Hören

– auf die Items (Signalwörter) konzentrieren

– Antworten in Stichwörtern notieren (Sie können Abkürzungen verwenden.)
– nicht zu lange bei einem Item bleiben

Beim 2. Hören
– eventuell beim Ergänzen der Notizen mit anderer Farbe schreiben
– nicht auf schwierige Lösungswörter konzentrieren, sondern auf den Text davor oder danach

Nach dem Hören
– Antworten formulieren: korrekt und vollständig
– nur auf Deutsch antworten
– keine Abkürzungen verwenden
– kontrollieren, ob die Antworten zu den Aufgaben passen
– kontrollieren, ob Antworten einen Sinn ergeben

Übertragen auf den Antwortbogen (vgl. S. 173)
– Antworten für alle 3 Prüfungsaufgaben übertragen
– kontrollieren, ob Antworten zu den Fragen passen

CD *1*, 22

Sie können nun zur Wiederholung die vollständige Aufgabe noch einmal lösen. Lesen Sie zuerst die Aufgabe (S. 93) und hören Sie anschließend den Hörtext. Sehen Sie sich dann die vollständige Lösung an. Abschließend können Sie das Transkript des Hörtextes (S. 187) lesen.

Allgemeines zum Prüfungsteil Schriftlicher Ausdruck

Prüfungsziel

Im Gegensatz zu den anderen Prüfungsteilen gibt es beim Schriftlichen Ausdruck nur eine Aufgabe: Sie sollen einen Text schreiben. Sie sollen zeigen, dass Sie anhand von Leitfragen und statistischen Daten einen zusammenhängenden Text zu einem bestimmten Thema schreiben können. Solche Texte sind typisch für das Studium an einer Hochschule.

Die Aufgabe umfasst:
– die **Beschreibung einer Grafik** und
– einen Teil, in dem Sie **argumentieren** sollen.
Man kann die Aufgabe ohne besondere Fach- und Vorkenntnisse bearbeiten. Alle nötigen Informationen erhalten Sie mit den Aufgaben oder sie gehören zu Ihrem Allgemeinwissen.

Aufbau und Ablauf

Sie erhalten zu Beginn des Prüfungsteils folgende Unterlagen:
– 1 Aufgabenheft
– 1 Bogen Konzeptpapier
– 1 Schreibbogen

Anleitung zum Prüfungteil   5 Min.
1 Aufgabe   60 Min.

Zunächst können Sie sich auf dem **Konzeptpapier Notizen machen**. Ihren Text schreiben Sie auf den Schreibbogen. Denken Sie bitte daran: **Nur der Text auf dem Schreibbogen wird bewertet.**

Aufbau und Aufgabenstellung

Zunächst sollten Sie die Anleitung lesen. Sie haben genug Zeit dafür. Dort wird genau erklärt, was Sie machen sollen und worauf Sie achten sollen. Wenn Sie die Anleitung gelesen haben, dann haben Sie noch 60 Minuten Zeit, um Ihren Text zu schreiben.
Sehen Sie sich dann die **Aufgabe** und die **Informationen** an, die Ihnen als Anregung zum Verfassen Ihres Textes dienen sollen.
Auf der **linken Seite** sehen Sie einen kurzen Einführungstext, der das Thema benennt und einige Hintergrund-Informationen gibt.
Auf der **rechten Seite** sehen Sie die Aufgabenstellung. Die Anweisung oben lautet: „Schreiben Sie einen Text zum Thema …". Dazu sehen Sie dann die Vorlagen, anhand derer Sie Ihren Text schreiben sollen:
Sie sollen Tabellen oder Grafiken beschreiben.
Sie sollen Fragen oder Aussagen etc. diskutieren. Hier sollen Sie z. B. Vor- und Nachteile benennen oder widersprüchliche Meinungen zu einem Problem wiedergeben, um dann eine eigene Meinung zu äußern und zu begründen. Informationen über Ihr Heimatland sollen Sie ebenfalls einbringen.

Schriftlicher Ausdruck, Erste Übungsaufgabe (Grafikbeschreibung)

In der Aufgabe zum Schriftlichen Ausdruck sollen Sie einen zusammenhängenden Text zu einem vorgegebenen Thema schreiben. Dieser Text soll aus der Beschreibung einer im Aufgabenheft abgebildeten Grafik und einer Argumentation bestehen.
Insgesamt haben Sie für diese Aufgabe 60 Minuten Zeit. Rechnen Sie etwa 20 Minuten für die Grafikbeschreibung ein und 40 Minuten für den argumentativen Teil. Achten Sie darauf, dass Ihr Text klar gegliedert ist und die Textteile sprachlich miteinander verbunden sind. Die Grafikbeschreibung sollte alle wichtigen Informationen enthalten und Hauptaussagen zusammenfassen. Im argumentativen Teil sollen Sie Ihre Argumente begründen.

Aufbau der Übungsaufgaben zum Schriftlichen Ausdruck

In den ersten beiden Übungsaufgaben zum Schriftlichen Ausdruck trainieren Sie die Einleitung des Textes und die Beschreibung der Grafik, in der dritten Übungsaufgabe die Argumentation. Die vierte Übungsaufgabe besteht aus beiden Aufgabenteilen, wobei der Schwerpunkt der Übung auf der Argumentation liegt.

Thema „Klimawandel"

Klimawandel

Die Erde wird sich in den nächsten Jahren noch schneller erwärmen, als bisher angenommen.
Schuld an der Erwärmung ist unter anderem die immer höhere Konzentration von CO_2 in der Luft.

Schreiben Sie einen Übungstext zu der Grafik   Übungszeit: 20 Min.

CO_2-Konzentration in der Luft

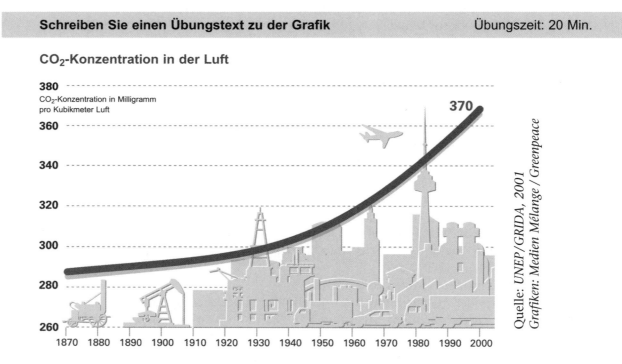

Quelle: *UNEP/GRIDA, 2001*
Grafiken: Medien Mélange / Greenpeace

Beschreiben Sie, wie sich die CO_2-Konzentration in der Luft von 1870 bis zum Jahr 2000 verändert hat.

Das Schreiben vorbereiten

Wenn Sie in der Prüfung die Aufgabe zum Schriftlichen Ausdruck bearbeiten, sollten Sie zuerst den Hinführungstext, die Grafik und die Aufgabenstellung gründlich lesen und die wichtigsten Informationen markieren.

Ihr Text soll klar gegliedert sein, er muss also eine Einleitung, einen Hauptteil und einen Schluss haben. Entwerfen Sie vor dem Schreiben eine Gliederung für den Gesamttext (vgl. S. 111) und fangen Sie erst danach mit der Einleitung an.

Die Einleitung schreiben

Wie Sie die Einleitung und den Schluss formulieren, können Sie selbst entscheiden. Vielleicht kennen Sie ein aktuelles Beispiel zu dem Thema oder möchten in diesem Übungstext als Erstes kurz über die Auswirkungen des Klimawandels in Ihrem Heimatland schreiben. Das können Sie in ein bis zwei Sätzen tun, bevor Sie auf die Grafik überleiten.

Sie können für Ihre Einleitung auch Informationen aus dem Hinführungstext verwenden. Sie dürfen den Hinführungstext allerdings nicht wörtlich abschreiben. Wenn Sie ihn für Ihre Einleitung verwenden möchten, müssen Sie ihn umformulieren.

Ü 1   Formulieren Sie die folgenden Sätze aus dem Hinführungstext um. Verwenden Sie diese Ausdrücke:

auch • beschleunigen • dem Lebensstil • die Tatsache • eine Erscheinung • Grund hierfür • immer mehr • in nächster Zeit • Temperaturanstieg

Die Erde wird sich in den nächsten Jahren noch schneller erwärmen.

→ Der _____ auf der Erde wird sich
_____ noch _____.

Schuld ist unter anderem die höhere Konzentration von CO_2 in der Luft.

→ Ein _____ ist _____,
dass es _____ CO_2 in der Luft gibt.

Diese wird in erster Linie durch Autos, Kraftwerke und einen verschwenderischen Lebensstil verursacht.

→ Der Anstieg der CO_2-Konzentration ist _____
der modernen Industriegesellschaft.

Sie sollen einen zusammenhängenden Text schreiben. Verbinden Sie deshalb die einzelnen Teile der Aufgabenstellung sprachlich miteinander. So kann der Leser Ihrem Gedankengang folgen. Nachdem Sie die Einleitung geschrieben haben, sollen Sie zur Grafikbeschreibung überleiten.

Ü 2 Formulieren Sie Überleitungen. Welche Ergänzung ist richtig?

1 Wichtige Informationen zu diesem Thema

A liefert uns die folgende Grafik.
B mit der folgenden Grafik.
C ist aus dieser Grafik.

2 Genauere Daten zum Thema „CO_2-Konzentration" lassen sich

A mit diesem Thema.
B die Grafik erklären.
C aus der folgenden Grafik erschließen.

3 Bevor ich zu diesem Thema Stellung nehme, möchte ich

A einige Fakten mit einer Grafik verdeutlichen.
B mit dieser Grafik.
C aus der Grafik erschließen.

4 Zu _____ möchte ich eine Grafik genauer erläutern.

A diesem Thema
B genauere Daten
C einige Fakten

Die Grafik beschreiben

Bei der Grafikbeschreibung sollen Sie die wichtigsten Informationen zusammenfassen.
Sehen Sie sich zunächst die formalen Informationen der Grafik an. Überlegen Sie dann,
welche dieser Informationen Sie für Ihren Text verwenden möchten.

 Ü 3 Beantworten Sie folgende Fragen:

1 Welchen Titel hat die Grafik (vgl. S. 98)?

_____

2 Welche Quellenangabe hat die Grafik?

_____

3 Welcher Zeitraum wird in der Grafik beschrieben?

_____

4 Welche Parameter sind angegeben, d. h. welche Maßangaben werden benutzt?

_____

Entwicklungen beschreiben

Mit der Grafik bekommen Sie eine Arbeitsanweisung. Lesen Sie diese genau durch und
überlegen Sie, welche Daten für die Beantwortung der Aufgabe wichtig sind.

Arbeitsanweisung der ersten Übungsaufgabe:
**Beschreiben Sie, wie sich die CO_2-Konzentration in der Luft von 1870 bis zum Jahr 2000
verändert hat.**

Sie sollen nicht alle Daten, die in der Grafik enthalten sind, nennen. Es geht darum, die Grafik
zu analysieren, d. h. wichtige Entwicklungen zusammenzufassen.
In dieser Übungsaufgabe sollen Sie den Anfangs- und den Endpunkt einer Entwicklung
beschreiben, aber auch Extrempunkte dieser Entwicklung darstellen.

Ü 4   **Ergänzen Sie den Text.**

Im Jahre 1870 war die CO_2-Konzentration in der Luft mit 290 Milligramm
pro Kubikmeter _____.
relativ gering • extrem hoch • unverändert

Seit dieser Zeit _____ sie jedoch stetig.
steigt • sinkt • steigt an

Bis 1940 vollzog sich der Anstieg _____.
rasend schnell • langsam • gering

Seit 1940 steigt die Konzentration _____ an.
in immer schnellerem Tempo • gleichmäßig • relativ gering

Im Jahr 2000 _____ sie bereits 370 Milligramm.
beträgt • heißt • sinkt

Versuchen Sie nun eine zweite Grafik zum gleichen Thema selbst zu beschreiben.

Erderwärmung
Die Erde wird sich in den nächsten Jahren noch stärker erwärmen, als bisher
angenommen.
Das Klimagremium der Vereinten Nationen erwartet bis zum Jahr 2010 einen
Temperaturanstieg um schlimmstenfalls 5,8 Grad Celsius statt der bisher
erwarteten 3,5 Grad.

Beschreiben Sie die Temperaturentwicklung der letzten 150 Jahre.

Ü 5   **Beschreiben Sie die Grafik.**

Beachten Sie dabei die folgende
Reihenfolge:

1)   Einleitung
2)   Überleitung zur Grafik
3)   Grafik
    a)   Informationen zur Grafik
        – Titel
        – Quelle
        – Parameter (Zeitraum,
          Maßeinheit)
    b)   Beschreibung der Grafik

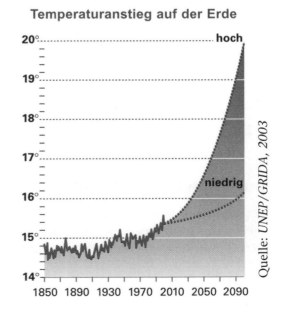

Temperaturanstieg auf der Erde

Quelle: *UNEP/GRIDA, 2003*

Schriftlicher Ausdruck, Zweite Übungsaufgabe (Grafikbeschreibung)

Thema „Internet-Nutzung"

Verbreitung des Internets

Das Internet verbreitet sich immer schneller. In den letzten Jahren ist es in diesem Bereich zu einer rasanten Entwicklung gekommen. Nicht nur am Arbeitsplatz, auch zu Hause haben immer mehr Menschen einen Computer mit Internetanschluss und nutzen diesen auch. Gerade für Studenten ist das Internet ein ideales Kommunikations- und Informationsmittel.

Schreiben Sie einen Übungstext zu der Grafik   Übungszeit: 20 Min.

Online mit dem PC
Von je 100 Haushalten in Deutschland

haben einen PC

	1999	2000	2001
haben einen PC	51	57	63
nutzen regelmäßig das Internet	11	20	29

Quelle: Allensbach, 2002

Beschreiben Sie, wie sich die private Internetnutzung in den letzten Jahren entwickelt hat.

Vergleichen Sie die Angaben zum Besitz und zur Nutzung von Computern miteinander.

Das Schreiben vorbereiten

Bevor Sie mit dem Schreiben beginnen, sollten Sie die Aufgabenstellung analysieren.
Welche Informationen gibt der Hinführungstext?
Was fordert die Arbeitsanweisung von Ihnen?

Lesen Sie den Text und markieren Sie die Schlüsselwörter zum Thema.

> **Verbreitung des Internets**
> Das Internet verbreitet sich immer schneller. In den letzten Jahren ist es in diesem Bereich zu einer rasanten Entwicklung gekommen. Nicht nur am Arbeitsplatz, auch zu Hause haben immer mehr Menschen einen Computer mit Internetanschluss und nutzen diesen auch. Gerade für Studenten ist das Internet ein ideales Kommunikations- und Informationsmittel.

Sie können Informationen aus dem Hinführungstext für Ihre Einleitung übernehmen. Sie dürfen diese aber nicht wörtlich abschreiben.

 Formulieren Sie die Sätze aus dem Hinführungstext um. Verwenden Sie die folgenden Ausdrücke.

enorme Zuwachsraten ● in jüngster Zeit ● mehr Menschen ● vor allem für ● wächst die Zahl

Das Internet verbreitet sich immer schneller.
→ Immer _____ nutzen das Internet.

In den letzten Jahren ist es in diesem Bereich zu einer rasanten Entwicklung gekommen.
→ Gerade _____ gibt es in diesem Bereich _____ .

Nicht nur am Arbeitsplatz, auch zu Hause haben immer mehr Menschen einen Computer mit Internetanschluss und nutzen diesen auch.
→ In deutschen Haushalten _____ von PC- und Internetanschlüssen.

Gerade für Studenten ist das Internet ein ideales Kommunikations- und Informationsmittel.
→ Interessant ist das Internet _____ Studenten.

Formulieren Sie Überleitungen. Ergänzen Sie die Sätze.

anhand einer Grafik ● bietet die nachfolgende Grafik ● entnehmen ● interessante Daten ● liefert Informationen

1 Die folgende Grafik _____ zum Thema Internet-Nutzung.

2 Einen genauen Überblick über die Zahlen der Internet-Nutzer _____ .

3 Zuallererst möchte ich _____ einige Daten präsentieren.

4 Einige _____ können wir der folgenden Grafik _____ .

Ü 4 **Beantworten Sie folgende Fragen.**

a) Welchen Titel hat die Grafik (vgl. S. 102)?
b) Welche Quellenangabe hat die Grafik?
c) Welcher Zeitraum wird in der Grafik beschrieben?
d) Welche Maßeinheit verwendet die Grafik?

Ü 5 **Ergänzen Sie den Text.**

Die Grafik mit dem Titel _____ stammt aus der

Zeitschrift „Die Zeit". Als _____ ist Allensbach ange-

geben. Die Grafik beschreibt einen _____ von 1999 bis 2001

und zeigt die Steigerungsrate der _____ und Internet-Nutzer

in deutschen Haushalten. Die Werte sind in _____ angegeben.

Ü 6 **Markieren Sie die Schlüsselwörter
in der Arbeitsanweisung.**

> Beschreiben Sie, wie sich die private
> Internetnutzung in den letzten Jahren
> entwickelt hat.
> Vergleichen Sie die Angaben zum
> Besitz und zur Nutzung von Computern
> miteinander.

Vergleiche formulieren

Wenn Sie eine oder sogar mehrere Grafiken beschreiben sollen, müssen Sie oft Entwicklungen
oder Daten miteinander vergleichen. Dafür sind einige Redemittel besonders wichtig.

Ü 7 **Suchen Sie Redemittel, die bei Vergleichen benutzt werden können.
Ergänzen Sie die Sätze.**

erkennt man • gesteigert • stark gestiegen •
Steigerung • Vergleich • vergleicht • Während

1 Im _____ zum Jahr 1999 ist die Zahl der Internet-Nutzer

_____ .

2 Wenn man die Zahl der Internet-Nutzer in den Jahren 1999 und 2001

_____ , dann _____ .

eine _____ von 11 % auf 29 %.

3 _____ 1999 nur 11 % der PC-Besitzer

das Internet regelmäßig nutzten, sind es im Jahr 2001 bereits 29 %.

4 Im Jahr 2001 hat sich die Zahl der Internet-Nutzer auf 29 % erhöht,
die Zahl der PC-Besitzer hat sich im Vergleich zu 1999 um 12 %

_____ .

Zahlenverhältnisse ausdrücken

Wenn Sie in Ihrem Text zu viele Zahlenangaben machen, wird der Text leicht einförmig und schwer verständlich. Verwenden Sie alternative Formulierungen, um Zahlenverhältnisse auszudrücken.

Beispiele
- 51 Prozent der Deutschen besaßen 1999 einen PC.
  - ➤ Etwa die Hälfte der Deutschen besaß 1999 einen PC.

- 1999 haben 11 Prozent der Deutschen das Internet regelmäßig genutzt, im Jahr 2000 waren es 20 Prozent.
  - ➤ Der Anteil der Internetnutzer in Deutschland hat sich von 1999 bis zum Jahr 2000 fast verdoppelt.

- Im Jahr 1999 nutzten 11 Prozent der deutschen Haushalte regelmäßig das Internet. 2001 waren es bereits 29 Prozent.
  - ➤ Von 1999 bis zum Jahr 2001 (innerhalb von zwei Jahren) hat sich der Prozentsatz der Internetnutzer in Deutschland beinahe verdreifacht.

Ü 8 **Versuchen Sie, folgende Bruchzahlen in Worten auszudrücken.**

$\dfrac{1}{2}$ _____ $\dfrac{1}{3}$ _____

$\dfrac{1}{4}$ _____ $\dfrac{1}{5}$ _____

$\dfrac{1}{10}$ _____

Ü 9 **Sagen Sie es einfacher.**

Beispiel: Zweimal größer = verdoppelt

dreimal größer = _____
viermal größer = _____
zehnmal größer = _____

Ü 10 **Sammeln Sie nun Redemittel und Ausdrücke, die beschreiben, dass sich keine Veränderung ergeben hat.**

Beispiel: Die Zahl hat sich nicht verändert.

Die Zahl _____
Die Zahl _____
Der Wert _____
Der Wert _____
Der Wert _____
Die Werte _____

Versuchen Sie nun, eine zweite Grafik zum gleichen Thema zu beschreiben.

Ü 11   **Formulieren Sie den Anfang Ihres Textes.**

Beachten Sie dabei die folgende Reihenfolge:

1) **Einleitung**
2) **Überleitung zur Grafik**
3) **Grafik**
   Informationen zur Grafik
   – Titel
   – Quelle
   – Parameter (Zeitraum, Maßeinheit)

Internetnutzung

Rund 34 Mill. Menschen nutzten in Deutschland im ersten Quartal 2002 das Internet, das waren 46 % der Bevölkerung im Alter ab zehn Jahren. Der Anteil der Internet-Nutzer war dabei bei Männern mit 52 % um 11 Prozentpunkte höher als bei Frauen (41 %).

Der überwiegende Teil der Nutzer sah im Internet vor allem ein Kommunikationsmittel, eine wichtige Informationsquelle zu Produkten und Dienstleistungen sowie eine Wissensquelle für die allgemeine und berufliche Bildung.

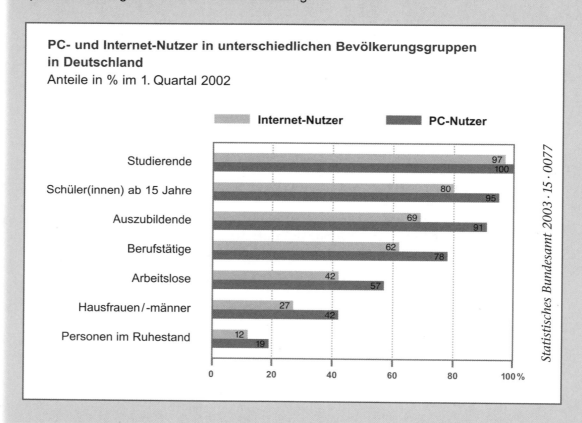

PC- und Internet-Nutzer in unterschiedlichen Bevölkerungsgruppen in Deutschland
Anteile in % im 1. Quartal 2002

Statistisches Bundesamt 2003 · 15 · 0077

Die Grafikbeschreibung gliedern

Es gibt keine feste Regel, wie Sie die Beschreibung der Grafik aufbauen sollen. Wichtig ist, dass Sie nicht jede Zahl der Grafik wiedergeben, sondern die Informationen zusammenfassen. Nehmen Sie sich deshalb vor dem Schreiben Zeit, um die Hauptaussagen der Grafik zu verstehen.

> Werden Entwicklungen dargestellt?
> Werden Rangfolgen dargestellt?
> Gibt es Extremwerte (Anfang – Ende / erste – letzte Position)?
> Gibt es Gemeinsamkeiten zwischen den einzelnen Positionen?
> Kann man Gruppen bilden?

Beantworten Sie für sich diese Fragen, bevor Sie Ihren Text schreiben.

Einen zusammenhängenden Text schreiben

Achten Sie beim Schreiben darauf, dass Ihr Text zusammenhängend und in sich geschlossen ist. Verwenden Sie Satzverbindungen (z. B. Konjunktionen und Adverbien), um logische Zusammenhänge darzustellen.

Ü 12 Ergänzen Sie in den folgenden Lückentexten die Satzverbindungen und die Redemittel zur Grafikbeschreibung.

Text A

Satzverbindungen:
aber ● denn ● denn ● so ● wenn

Redemittel:
auffallend ist ● etwa ein Fünftel ● mehrheitlich ●
etwa die Hälfte ● aus den Daten der Grafik kann man schließen ●
die meisten ● seltener ● vermutlich ● nur 42%

Grafikbeschreibung

_____ (1) man die Grafik betrachtet, fällt auf, dass _____ (2) PC-Nutzer jung sind und sich entweder in der Ausbildung oder im Berufsleben befinden. _____ (3) verwenden 100% der Studenten, 95% der Schüler, 91% der Auszubildenden und 78% der Berufstätigen einen Computer. Die Menschen dieser Gruppen surfen _____ (4) auch im Internet (zwischen 62% und 97%).

Bei den Menschen, die nicht mehr in der Ausbildung sind und keinen Beruf ausüben, sieht die Situation ganz anders aus. _____ (5) der Arbeitslosen verfügt über einen PC. Und _____ (6) der Hausfrauen / Hausmänner sowie _____ _____ (7) der Rentner nutzen einen Computer zu Hause. _____ (8), dass diese Menschen auch _____ (9) im Internet surfen.

_____ (10) spielen sowohl das Alter als auch die Ausbildung eine Rolle bei der Internetnutzung. _____ (11) immerhin noch 42% der arbeitslosen Nutzer und 27% der Hausfrauen / Hausmänner benutzen das Internet, _____ (12) nur 12% der Rentner.

Interpretation

_____ (13), dass das Internet sich auch in Zukunft in Deutschland weiter durchsetzen wird. _____ (14) offensichtlich spielt es eine große Rolle in der Ausbildung und im Berufsleben.

Text B

Satzverbindungen:

da • die • und • von denen • während

Redemittel:

an erster Stelle bei • auf dem vierten Platz • das Schlusslicht bilden • fast alle • die Daten legen nahe • es folgen • gefolgt von • vermutlich • weiter zunehmen

Grafikbeschreibung

_____ (1) den Internetnutzern stehen die Studenten, _____ (2) fast alle einen Computer verwenden und im Internet surfen. _____ (3) die Schüler(innen) und Auszubildenden, _____ (4) 95 % bzw. 91 % einen Computer nutzen. Sie gehen auch _____ (5) (80 % bzw. 69 %) ins Internet. Die Arbeitslosen liegen mit großem Abstand _____ (6) mit 57 % PC-Nutzern, _____ (7) den Hausfrauen / Hausmännern mit 42 %. _____ (8) die Rentner, von denen nur 19 % einen PC verwenden. _____ (9) etwa die Hälfte der Arbeitslosen und fast ein Drittel der Hausfrauen/ Hausmänner das Internet nutzen, surfen nur 12 % der Rentner.

Interpretation

_____ (10), dass junge Menschen und Berufstätige sich mehr für die Nutzung von Computern und für das Internet interessieren als ältere Menschen. _____ (11) wird die Verbreitung dieser neuen Medien _____ (12), _____ (13) immer mehr Menschen mit dem Computer aufwachsen _____ (14) er für sie bereits selbstverständlich geworden ist.

Schriftlicher Ausdruck, Dritte Übungsaufgabe (Argumentation)

Nachdem Sie die Grafik beschrieben haben, sollen Sie in der Prüfung zu einem Thema, das mit der Grafik in Zusammenhang steht, Stellung nehmen. Ihr Text soll klar aufgebaut sein. Sie sollen sachlich argumentieren und Ihre Argumente begründen. Sie sollen auf alle Punkte der Aufgabenstellung eingehen.

Thema: Auslandssemester als Pflicht

Immer mehr deutsche Hochschulabsolventen interessieren sich für einen Arbeitsplatz im Ausland. Doch die Konkurrenz auf dem internationalen Arbeitsmarkt für Akademiker ist groß. Gute Fremdsprachenkenntnisse und Erfahrungen mit fremden Kulturen sind wichtige Voraussetzungen für eine erfolgreiche Bewerbung im Ausland. Um den Hochschulabsolventen aus Deutschland auf dem globalen Markt bessere Chancen zu eröffnen, wird deshalb darüber diskutiert, für alle Studierenden ein Pflichtsemester im Ausland einzuführen.

Schreiben Sie einen Text zum Thema „Auslandssemester als Pflicht" Übungszeit: 40 Min.

In der Diskussion um ein Pflichtsemester im Ausland werden zwei Meinungen vertreten:

- **Ein Auslandssemester verbessert die Chancen der Hochschulabsolventen aus Deutschland auf dem internationalen Arbeitsmarkt.**

- **Durch das Auslandssemester sind die deutschen Hochschulabsolventen älter als Studenten aus anderen Ländern. Das verschlechtert ihre Chancen auf dem internationalen Arbeitsmarkt.**

- Geben Sie die beiden Aussagen mit eigenen Worten wieder.
- Nehmen Sie zu beiden Aussagen Stellung und begründen Sie Ihre Stellungnahme.

Gibt es bei Ihnen zu Hause viele Studierende, die ein Semester oder länger ins Ausland gehen?
- Berichten Sie über die Situation in Ihrem Heimatland.

Aufbau der Aufgabe

Der argumentative Teil der Aufgabe zum Schriftlichen Ausdruck umfasst
drei verschiedene Aufgabenstellungen:

1. Wiedergabe einer oder mehrerer Aussagen zu dem Thema in eigenen Worten
2. Stellungnahme zu einer oder zwei Thesen
3. Bericht über eigene Erfahrungen / Erfahrungen im eigenen Land.

Die Aufgabenstellung verstehen

Bevor Sie anfangen zu schreiben, sollten Sie die Aufgabenstellung genau lesen.
Versuchen Sie, unbekannte Wörter zu erschließen.

Ü1   **Erklären Sie folgende Begriffe:**

1   Ein Studierender ist jemand, der _____

_____

2   Ein Hochschulabsolvent ist jemand, der _____

_____

3   Eine Pflicht ist etwas, das _____

_____

Ü2   **Beantworten Sie folgende Fragen zur Klärung des Themas.**
Antworten Sie in Stichpunkten.

1   Was soll passieren?

_____

2   Was ist das Ziel der Veränderung?

_____

3   Wen betrifft die geplante Veränderung?

_____

Den Text gliedern

Ihr Text muss klar gegliedert sein. Ein klarer Aufbau hilft Ihnen, die Aufgabe schnell zu bearbeiten.
Und wenn der Text gut gegliedert ist, kann auch der Leser besser Ihrem Gedankengang folgen.
Deshalb wird in der Prüfung ein klarer, logischer Textaufbau auch positiv bewertet.
Sie sollten schon vor dem Schreiben den Aufbau Ihres Textes festlegen. Beginnen Sie deshalb nicht
sofort mit dem Schreiben, sondern machen Sie sich zu den wichtigsten Punkten Ihres Textes eine
kurze Gliederung auf dem Konzeptpapier.

Ü3 **Ergänzen Sie die folgende Gliederung für die Stellungnahme zum Thema: „Auslandssemester als Pflicht". Notieren Sie Stichworte.**

1. **Einleitung:**

   Thema der Argumentation: Auslandssemester als Pflicht

2. **Hauptteil:**

   a) Meinungen aus der Aufgabenstellung wiedergeben

   dafür: _____

   dagegen: _____

   b) eigene Argumente pro

   _____
   _____
   _____

   c) eigene Argumente contra

   _____
   _____
   _____

   d) eigene Meinung (dafür / dagegen, weil)

   _____
   _____
   _____

3. **Schluss:** eigene Erfahrungen

   _____
   _____
   _____

Die Stellungnahme einleiten

Wenn Sie wissen, wie Sie Ihren Text aufbauen möchten, können Sie mit dem Schreiben beginnen. In der Einleitung sollten Sie kurz das Thema Ihres Textes zusammenfassen. Sie können dafür Informationen aus der Aufgabenstellung, z. B. aus dem Hinführungstext, verwenden. Sie können Ihre Einleitung natürlich auch frei formulieren.

Ü 4   **Lesen Sie den folgenden Ausschnitt aus dem Hinführungstext und formulieren Sie dann das Thema Ihrer Argumentation mit eigenen Worten.**

Hinführungstext:

> Um den Hochschulabsolventen aus Deutschland auf dem globalen Markt bessere Chancen zu eröffnen, wird deshalb darüber diskutiert, für alle Studierenden ein Pflichtsemester im Ausland einzuführen.

Bilden Sie zwei Sätze mit folgenden Formulierungen:

In Deutschland spricht man über die Einführung _____

_____

Dadurch sollen _____

_____

Fremde Meinungen wiedergeben

Sie sollen zu Beginn Ihrer Stellungnahme ein oder zwei Aussagen zu dem Thema des Textes in Ihren eigenen Worten wiedergeben. Sie können diese Aussagen umformen, indem Sie Synonyme verwenden oder grammatische Strukturen verändern. Sie können auch ganz frei formulieren.

Ü 5   **Geben Sie die beiden Aussagen aus der Aufgabenstellung mit anderen Worten wieder, indem Sie den Lückentext ergänzen.**

Aufgabenstellung

> In der Diskussion um das Auslandssemester werden zwei Meinungen vertreten:
>
> – **Ein Auslandssemester verbessert die Chancen der Hochschulabsolventen aus Deutschland auf dem internationalen Arbeitsmarkt.**
>
> – **Durch das Auslandssemester sind die deutschen Hochschulabsolventen älter als Studenten aus anderen Ländern. Das verschlechtert ihre Chancen auf dem internationalen Arbeitsmarkt.**

Setzen Sie folgende Begriffe in den Lückentext ein.

ein zusätzliches Semester ● hat man bessere Chancen ● ihre Mitbewerber ●
infolgedessen ● ist ein großer Nachteil ● im Ausland ● verlängert sich

Wenn man ein Semester _____ (1) verbringt,
_____ (2) auf dem globalen Arbeitsmarkt.
Allerdings _____ (3) die Ausbildung durch _____
_____ (4) im Ausland und _____ (5)
beginnen Bewerber aus Deutschland, die im Vergleich sowieso schon älter als _____
_____ (6) aus anderen Ländern sind, ihre Berufstätigkeit noch später.
Dies _____ (7) für die Hochschulabsolventen aus
Deutschland.

Argumente formulieren

Nachdem Sie die Thesen aus der Aufgabenstellung umgeformt haben, sollen Sie dazu Stellung nehmen. Das heißt, Sie sollen Argumente für und gegen z. B. ein obligatorisches Auslandssemester suchen und Ihre eigene Meinung zu diesem Thema nennen und begründen. Wie Sie Ihre Argumentation aufbauen, können Sie selbst entscheiden:

– Sie können Ihre Meinung an den Anfang oder an das Ende der Stellungnahme stellen.
– Sie können die Argumente für und gegen nacheinander aufzählen.
– Sie können aber auch die Argumente einzeln gegeneinander abwägen.

Wichtig ist, dass Ihre Argumentation logisch und nachvollziehbar ist. Außerdem müssen Sie Ihre Argumente begründen.
Redemittel, z. B. zur Aufzählung, können Ihnen das Schreiben einer Argumentation erleichtern.

 Ü 6   **Im folgenden Text gibt es Redemittel, mit denen Sie mehrere Argumente miteinander verbinden können. Markieren Sie diese Wörter.**

> Ein Pflichtsemester im Ausland hat eine ganze Reihe von Vorteilen. An erster Stelle sollte man natürlich das gründliche Erlernen einer Fremdsprache nennen. Nirgends lernt man eine Fremdsprache so gut wie im Land selbst und die Beherrschung einer Fremdsprache ist eine wichtige Grundvoraussetzung auf dem modernen Arbeitsmarkt. Hinzu kommt, dass man während eines Auslandssemesters wichtige Erfahrungen macht, die man im Berufsleben später sehr gut nutzen kann. Diese Erfahrungen in einer fremden Kultur können zudem für die Entwicklung der Persönlichkeit ganz entscheidend sein.
> Allerdings gibt es nicht nur Argumente, die für ein Auslandssemester sprechen. Ein wichtiges Argument dagegen ist natürlich, dass das Auslandssemester die Studienzeit verlängert und dadurch Studierende aus Deutschland noch später mit der Berufstätigkeit beginnen. Nicht zu unterschätzen ist ebenfalls, dass ein Auslandssemester das Studium in Deutschland unterbricht. Der Studierende verliert dadurch möglicherweise den Anschluss an sein Studienfach.
> Ein letztes Argument gegen das Auslandssemester ist die Tatsache, dass soziale Kontakte, die man in den ersten Semestern mühsam geknüpft hat, während der Zeit im Ausland verloren gehen können, weil man sich lange Zeit nicht sieht.

 Ü 7   **Folgende Ausdrücke und Wendungen kann man zur Aufzählung von Argumenten verwenden. Suchen Sie weitere.**

am Anfang des Textes	weitere Argumente	am Ende des Textes
an erster Stelle	hinzu kommt, dass	nicht vergessen sollte man
erstens	ebenfalls zu bedenken ist, dass	ein letztes Argument ist, dass

Die eigene Meinung ausdrücken

Am Anfang oder Ende der Stellungnahme sollen Sie Ihre persönliche Meinung zum Thema ausdrücken. Sammeln Sie verschiedene Redemittel dafür.

Ü 8 **Suchen Sie Redemittel, die eine Meinungsäußerung ausdrücken.**

Meiner Meinung nach, _____

_____

_____

Ü 9 **Bilden Sie Sätze, in denen Sie Ihre Meinung zum Auslandssemester wiedergeben.**

Für ein obligatorisches Auslandssemester:

Meiner Meinung nach _____

Ich stehe auf dem Standpunkt, dass _____

Ich meine, dass _____

Ich bin der Meinung, dass _____

Meines Erachtens _____

Gegen ein obligatorisches Auslandssemester:

Meiner Meinung nach _____

Ich stehe auf dem Standpunkt, dass _____

Ich meine, dass _____

Ich bin der Meinung, dass _____

Meines Erachtens _____

Über eigene Erfahrungen berichten

Im letzten Teil der Aufgabe sollen Sie über Ihre eigenen Erfahrungen berichten.
Oft wird nach der Situation in Ihrem Heimatland gefragt.

Aufgaben-
stellung: **Gibt es bei Ihnen zu Hause viele Studierende, die ein Semester oder länger ins Ausland gehen?**
– Berichten Sie über die Situation in Ihrem Heimatland.

Ü 10 **Ergänzen Sie den Text.**

In meinem Heimatland _____

Bei uns in _____

Die Situation in meinem Heimatland ist _____

 Ü 11 **Sie können zur Wiederholung die vollständige Aufgabe auf S. 109 noch einmal lösen.** Verwenden Sie Ihre Gliederung von S. 111.

Schriftlicher Ausdruck, Vierte Übungsaufgabe
(Grafikbeschreibung und Argumentation)

Thema: Pfand für Einwegverpackungen

In Deutschland versucht man durch Gesetze die Menge des Verpackungsmülls zu reduzieren. Seit 1991 gibt es deshalb eine Verpackungsverordnung. Da die Müllmenge durch dieses Gesetz jedoch nicht so stark wie geplant zurückging, wurde im Jahr 2003 ein Pfand für Einwegverpackungen eingeführt. Nun muss man in Deutschland für Einwegverpackungen 15 bis 20 Cent Pfand zahlen. Das Geld erhält man zurück, wenn man die Verpackung in das Geschäft zurückbringt. Die Verpackungen werden gesammelt und anschließend von Recyclingfirmen zu neuen Produkten verarbeitet.

Das Pfand auf Einwegverpackungen ist umstritten. Kritiker glauben, dass das neue System zu umständlich ist und die Wiederverwertung von Einwegverpackungen zu viel Energie verbraucht. Befürworter hingegen hoffen, dass durch das Pfand Verbraucher verstärkt Mehrwegverpackungen kaufen, z. B. Flaschen, die gespült und wieder benutzt werden können.

Schreiben Sie einen Text zum Thema „Pfand für Einwegverpackungen"   Übungszeit: 60 Min.

In der Diskussion um das Verpackungspfand werden zwei Meinungen vertreten:

– **Das neue Pfandsystem zwingt die Produzenten, umweltfreundliche Mehrwegverpackungen auf den Markt zu bringen. Dadurch entsteht weniger Müll.**

– **Durch das Pfandsystem wird nur das System der Rückgabe komplizierter. Es führt aber nicht dazu, den Verpackungsmüll zu reduzieren.**

Verpackungsverbrauch in Deutschland
(Verpackungen aus Glas, Weißblech, Aluminium, Papier, Pappe, Karton, Kunststoff sowie Getränkekartons)

Gesamtverbrauch in Millionen Tonnen

1991	1994	1997	1998	2000	2001
13,01	11,91	11,50	11,79	12,67	12,34

1991: Verpackungsverordnung tritt in Kraft

Quelle: Gesellschaft für Verpackungsforschung m.b.H. (GVM), Mai 2003, August 2003; BMU, Februar 2004

- Geben Sie die beiden Aussagen mit eigenen Worten wieder.
- Nehmen Sie zu beiden Aussagen Stellung und begründen Sie Ihre Stellungnahme.
- Berichten Sie über die Situation in Ihrem Heimatland.

Gibt es dort ähnliche Pfandsysteme?

Die Textproduktion vorbereiten

Vielleicht wissen Sie nicht viel über das Thema „Pfand für Einwegverpackungen". Der Hinführungstext, die Grafik und die Aufgabenstellung geben Ihnen jedoch wichtige Informationen, die Sie auch in Ihrem Text verwenden dürfen. Nehmen Sie sich deshalb Zeit, um die Aufgabenstellung zu verstehen.

Machen Sie sich mit dem Thema vertraut. Verbinden Sie die Begriffe durch Linien mit der passenden Worterklärung.

die Verpackung	Verpackung, die mehrmals benutzt werden kann, z. B. Flaschen, die nach dem Gebrauch in das Geschäft zurückgebracht, von einer Getränkefirma abgeholt, gesäubert, gefüllt und wieder verkauft werden.
die Einwegverpackung	Geld, das man für einen Gegenstand bezahlt und zurückbekommt, wenn man den Gegenstand zurückbringt, z. B. Pfand für Wasserflaschen.
die Mehrwegverpackung	Jemand, der für etwas ist / der etwas unterstützt.
das Pfand	Verpackung, die man nur einmal benutzt. Dazu zählen z. B. Flaschen, Dosen, Papierschachteln, die weggeworfen werden, wenn sie leer sind.
die Wiederverwertung	Hülle aus z. B. Pappe, Papier oder Glas, (z. B. eine Kiste oder Flasche), die dazu dient, etwas zu schützen und zu transportieren.
der Befürworter	Recycling: Aufbereitung und Wiederverwendung bereits benutzter Rohstoffe (z. B. Recycling von Papier, Aluminium, Glas)

Lesen Sie den Hinführungstext (S. 111) noch einmal. Über welches Thema sollen Sie schreiben? Formulieren Sie dann mit eigenen Worten eine Einleitung für Ihren Text und leiten Sie zur Grafikbeschreibung über.

Beginnen Sie so:
– Ein wichtiges Thema, über das in letzter Zeit immer wieder diskutiert wird, ist

_____

– Die vorliegende Grafik _____

_____

_____

Beschreiben Sie nun die Grafik von S. 111. Nehmen Sie sich dafür maximal 20 Minuten Zeit.

Beschreiben Sie, wie sich der Verbrauch von Verpackungen seit der Einführung der ersten Verpackungsordnung entwickelt hat.

Von der Grafik zur Stellungnahme überleiten

Nach der Beschreibung der Grafik sollen Sie zu dem Thema Stellung nehmen. Wichtig ist, dass Sie die Grafikbeschreibung mit der Argumentation sprachlich verbinden. Sie können für die Überleitung die Hauptinformation der Grafik noch einmal zusammenfassen.

 Ü 4 **Verbinden Sie die passenden Satzteile durch eine Linie miteinander.**

1 Wenn man die Daten der Grafik betrachtet,

A Bereits die erste Verpackungsordnung führte zu einer Reduktion des Verpackungsmülls. Dennoch ist die Müllmenge 1999 wieder leicht gestiegen.

2 Die Grafik zeigt, dass

B kann man erkennen, dass sich bereits die erste Verpackungsordnung positiv ausgewirkt hat. Dennoch ist die Müllmenge 1999 wieder leicht gestiegen.

3 Schon die Grafik deutet darauf hin:

C die Verpackungsordnung die Menge von Verpackungen deutlich reduzieren konnte, die Müllmenge aber am Ende doch wieder leicht gestiegen ist.

Nach der Überleitung zur Grafik sollen Sie die Thesen aus der Aufgabenstellung in eigenen Worten wiedergeben.

 Ü 5 **Ergänzen Sie den Lückentext, ohne den Sinn der beiden Thesen zu verändern. Verwenden Sie die Ausdrücke vor dem Lückentext.**

Aufgabenstellung

In der Diskussion um das Verpackungspfand werden zwei Meinungen vertreten:

– **Das neue Pfandsystem zwingt die Produzenten, umweltfreundliche Mehrwegverpackungen auf den Markt zu bringen. Dadurch entsteht weniger Müll.**

– **Durch das Pfandsystem wird nur das System der Rückgabe komplizierter. Es führt aber nicht dazu, den Verpackungsmüll zu reduzieren.**

dadurch • Befürworter • behaupten • dazu führt • hingegen • gegensätzliche • Grundsätzlich

(1) _____ gibt es zum Verpackungspfand zwei
(2) _____ Meinungen: Die (3) _____
des Einwegpfandes (4) _____, dass das Pfand (5) _____
_____, dass die Produzenten in Zukunft verstärkt Mehrwegverpackungen einführen. Dadurch könnte die Müllmenge reduziert werden. Die Gegner der Verordnung (6) _____ meinen, dass sich lediglich das Rückgabesystem verkompliziert und (7) _____ nicht notwendigerweise weniger Müll produziert wird.

Nehmen Sie nun zu dem Thema „Pfand für Einwegverpackungen" Stellung. Sammeln Sie zunächst Argumente, die dafür und dagegen sprechen.

Ü 6 **Was spricht für, was spricht gegen ein Pfand auf Einwegverpackungen? Ordnen Sie die folgenden Argumente pro und contra.**

– Geschäfte mit der Rücknahme der Verpackungen überfordert
– Dosen werden zurückgebracht und nicht achtlos weggeworfen
– Recycling verbraucht mehr Energie als es einspart
– Umweltschutz (Wiederverwertung, weniger Müll)
– Rückgabesystem für den Verbraucher unbequem
– Recycling von teuren Materialien ökologisch sinnvoll
– Mehrwegsystem wird langfristig gestärkt
– ~~unpraktisches System~~

Argumente gegen das Pfand

unpraktisches System, _____

_____

_____

_____

_____

Argumente für das Pfand

_____

_____

_____

_____

_____

Ü 7 **Formulieren Sie mit den Argumenten für das Pfand auf Einwegverpackungen (Ü 6) einen zusammenhängenden Text. Verwenden Sie folgende Formulierungen:**

Argumentation für ein Pfand auf Einwegverpackungen:

Für ein Pfand auf Einwegverpackungen _____

_____.

Denn _____

_____.

Hinzu kommt, _____

_____.

Ein weiterer wichtiger Punkt ist, _____

_____.

Außerdem _____

_____.

Ü8

Ergänzen Sie die Argumentation gegen das Verpackungspfand mit folgenden Formulierungen:

zu kompliziert ● den Verbraucher ● energieaufwendig ● Verpflichtung ● wählt ● auf Reisen ● sprechen sich ● vertreten die Meinung

Argumentation gegen das Pfand für Einwegverpackungen:

Gegen das Pfand auf Einwegverpackungen _____ (1) vor

allem Geschäfte und die Getränkeindustrie aus. Sie _____ (2),

dass ein System für die Rückgabe der Einwegverpackungen viel _____

_____ (3) ist. Mit der _____ (4), alle Einweg-

verpackungen zurückzunehmen, könnte der Einzelhandel überfordert sein.

Hinzu kommt, dass ein Recycling der zurückgebrachten Verpackungen extrem

_____ (5) und damit auch umweltschädlich ist. Außerdem

ist das Einwegsystem für _____ (6) extrem unbequem. Es gibt

ja bereits heute als Alternative das Mehrwegsystem, und so _____ (7)

der Verbraucher bewusst in einer bestimmten Situation eine Einwegverpackung.

Meist _____ (8) oder unterwegs.

Verwenden Sie unterschiedliche Satzkonstruktionen. Dadurch wird der Text abwechslungsreicher. Schreiben Sie also nicht immer „weil", wenn Sie Ihre Argumente begründen, sondern benutzen Sie unterschiedliche Formulierungen.

Ü9

Folgende Ausdrücke und Wendungen kann man verwenden, um einen Grund oder eine Folge auszudrücken. Sammeln Sie zunächst weitere.

aufgrund, weil, aus diesem Grund, … _____

_____

_____

Setzen Sie nun die passenden Wendungen (*deswegen, aus diesem Grund …*) in die folgenden Sätze ein. Achten Sie auf die Satzstellung.

1 _____ der neuen Pfandregelung ist der Verbrauch von Einwegverpackungen zurückgegangen.

2 Die neue Pfandregelung wurde eingeführt, _____ ist der Verbrauch von Einwegverpackungen zurückgegangen.

3 Die neue Pfandregelung wird sich vielleicht nicht durchsetzen, _____ sie unpraktisch ist.

4 Die neue Pfandregelung wird häufig kritisiert. _____ sie ist für die Verbraucher unbequem.

Ü 10 **Ergänzen Sie die Meinungsäußerungen. Setzen Sie folgende Formulierungen in die Lücken ein.**

des Umweltschutzes ● man dadurch die Verbraucher zu umweltfreundlichem Verhalten erziehen kann ● es ist für den Verbraucher sehr unbequem ● ist keine umweltverträgliche Lösung

Ich bin für das Einwegpfand, weil _____

_____ .

Ich lehne das Einwegpfand ab, denn _____

_____ .

Wegen _____ bin ich für das Einwegpfand.

Das Einwegpfand _____, deshalb bin ich dagegen.

Den Text korrigieren

Sie sollten in der Prüfung etwas Zeit für die Korrektur des Textes einplanen. Überprüfen Sie zuerst, ob Sie alle Aufgabenpunkte bearbeitet haben und ob Ihr Text logisch und klar strukturiert ist. Anschließend sollten Sie auf Ihre persönlichen Fehler achten, z. B. in der Satzstellung und Grammatik.

Ü 11 **Markieren Sie die korrekten Sätze. Es sind mehrere Lösungen möglich.**

1 A In meinem Heimatland gibt es kein Pfandsystem für Einwegverpackungen.
   B Für Einwegverpackungen gibt es in meinem Heimatland kein Pfandsystem.
   C Kein Pfandsystem in meinem Heimatland für Einwegverpackungen gibt es.

2 A Allerdings gibt es ein Pfandsystem für Getränke-Mehrwegflaschen.
   B Für Getränke-Mehrwegflaschen ein Pfandsystem gibt es allerdings.
   C Allerdings es gibt ein Pfandsystem für Getränke-Mehrwegflaschen.

3 A Ich denke, es ist eine gute Idee, ein Pfandsystem auch für Einweg-verpackungen einzuführen.
   B Einzuführen, ich denke, es wäre eine gute Idee für Einwegverpackungen ein Pfandsystem.
   C Ich denke, es ist eine gute Idee, auch für Einwegverpackungen ein Pfandsystem einzuführen.

Tipps zur Bearbeitung

Sie können sich beim Aufbau Ihres Textes nach der Reihenfolge richten, die in der Aufgabenstellung vorgegeben wird. Sie können Ihren Text aber auch anders aufbauen und z. B. schon in der Einleitung über die Situation in Ihrer Heimat schreiben. Wichtig ist, dass
– ihr Text klar aufgebaut ist.
– alle Punkte der Aufgabenstellung behandelt sind.

– die einzelnen Textteile miteinander verbunden sind.
– und der Text logisch nachvollziehbar ist.

Folgende Punkte sollten Sie bei der Bearbeitung der Prüfungsaufgabe
zum Schriftlichen Ausdruck beachten:

vor dem Schreiben
– Zeit einteilen
– 5 Minuten für die Korrektur des Textes einplanen
– Aufgabenstellung vollständig lesen
– Schlüsselwörter markieren
– Hauptinformationen der Grafik markieren
– Gliederung schreiben (auf Konzeptpapier, nur Stichworte)
    1) Einleitung
        – Thema
    2) Hauptteil
        – Hauptinformationen der Grafik
        – Argumente pro und contra
        – eigene Meinung
    3) Schluss

beim Schreiben
– gleich auf den Antwortbogen schreiben
– nur Textstellen, bei denen Sie unsicher sind, auf dem Konzeptpapier vorschreiben
– Punkte der Gliederung nach und nach bearbeiten
– alle Punkte aus der Aufgabenstellung berücsichtigen
– bearbeitete Punkte der Aufgabenstellung im Aufgabenheft durchstreichen
– keine vollständigen Sätze aus der Aufgabenstellung übernehmen
– einen Absatz machen, wenn ein neuer Textabschnitt beginnt
– auf Überleitungen zwischen den einzelnen Textteilen achten
– auf die Logik des Textes achten
– Wiederholungen (im Inhalt, im Wortschatz und in der Satzstruktur) vermeiden
– unterschiedliche Redemittel und verschiedene Satzkonstruktionen verwenden
– Grafik zusammenfassen (nicht jede Zahl beschreiben)
– alle wichtigen Informationen der Grafik nennen
– sachlich argumentieren
– Argumente und die eigene Meinung begründen

nach dem Schreiben
– kontrollieren, ob der Text vollständig, logisch, klar strukturiert und verständlich ist
– Satzstellung kontrollieren
– Übereinstimmung von Subjekt und Verb kontrollieren
– auf Ihre persönlichen Fehler achten

 Ü 12   **Sie können die vollständige Aufgabe auf S. 115 noch einmal lösen.**

Allgemeines zum Prüfungsteil Mündlicher Ausdruck

Prüfungsziel

Im Prüfungsteil Mündlicher Ausdruck sollen Sie zeigen, dass Sie sich in verschiedenen Situationen an der Hochschule angemessen äußern können. Sie sollen sich zum Beispiel informieren, einen Sachverhalt beschreiben oder Ihre Meinung sagen.

Aufbau und Ablauf

Sie erhalten bei Beginn des Prüfungsteils folgende Unterlagen:
- 1 Aufgabenheft
- 1 Kassette

Anleitung zum Prüfungsteil
7 Aufgaben   Gesamtdauer ca. 30 Min.

Bei diesem Prüfungsteil sprechen Sie nicht mit einem Prüfer. Die Prüfung findet meistens in einem Sprachlabor statt. Dort hören Sie die Aufgaben von einer Kassette oder CD und lesen sie gleichzeitig im Aufgabenheft mit. Ihre Antworten auf jede Aufgabe werden auf einer anderen Kassette oder CD aufgenommen.
Dieser Ablauf der Prüfung ist für manche Teilnehmer ungewohnt. Sie sollten deshalb üben, Ihre Antworten auf eine Kassette zu sprechen.

Der Prüfungsteil Mündlicher Ausdruck besteht aus insgesamt 7 Aufgaben, die unterschiedlich schwierig sind. In jeder Aufgabe aber müssen Sie eine bestimmte Rolle übernehmen und sich in eine Situation hineinversetzen.
Jede Aufgabe besteht aus zwei Teilen:
- Zuerst wird die Situation beschrieben, in der Sie sich befinden und es wird gesagt, was Sie tun sollen. Sie haben dann Zeit, sich vorzubereiten und eventuell Notizen zu machen. Diese Vorbereitungszeit ist je nach Aufgabe unterschiedlich lang.
- Anschließend spricht Ihr Gesprächspartner bzw. Ihre Gesprächspartnerin von der Kassette / von der CD. Antworten Sie, indem Sie sagen, was Sie sich überlegt haben. Die Zeit, die Ihnen zum Antworten zur Verfügung steht (Sprechzeit), hängt von der Aufgabe ab; sie ist im Aufgabenheft angegeben. Sie müssen aber nicht so lange sprechen. Hören Sie ruhig auf zu sprechen, wenn Sie gesagt haben, was Sie sich überlegt hatten. Es ist aber auch kein Problem, wenn die Zeit für Ihre Antwort nicht ganz reicht.

In der Prüfung wird die Kassette / die CD mit den Aufgaben für alle Teilnehmer gleichzeitig gestartet und erst nach der siebten Aufgabe gestoppt. Deshalb können Sie die Reihenfolge, in der Sie die Aufgaben bearbeiten nicht selbst bestimmen.

Was sollen Sie bei den 7 Aufgaben tun?

1 Informationen einholen
2 Über etwas berichten / beschreiben
3 Informationen einer Grafik vortragen
4 Stellung nehmen und begründen / Vorteile und Nachteile abwägen
5 Stellung nehmen, Alternativen abwägen
6 Hypothesen entwickeln und vortragen
7 Rat geben und begründen

Aufbau der Übungsaufgaben zum Mündlichen Ausdruck

Für jede der sieben Aufgaben zum Mündlichen Ausdruck finden Sie eine Übungsaufgabe, die den Aufbau der jeweiligen Aufgabe Schritt für Schritt erklärt. In den Übungen trainieren Sie mögliche Lösungsstrategien. Außerdem wiederholen Sie wichtige Redemittel für die unterschiedlichen Gesprächssituationen.

Übungen zu bestimmten Redemitteln

Übungsaufgabe 1   sich vorstellen / fragen (direkt und indirekt)
Übungsaufgabe 3   Grafikbeschreibung: Entwicklungen
Übungsaufgabe 4   Stellung nehmen (formell) / Zustimmung – Ablehnung / Begründung /
                     Argumentation
Übungsaufgabe 5   Stellung nehmen (informell) / Aufzählung / Begründung / Ratschlag /
                     Denkpausen überbrücken / Fehlerkorrektur
Übungsaufgabe 6   Grafikbeschreibung: Einleitung und Vergleiche / Vermutungen
Übungsaufgabe 7   Ratschlag / Begründung

Am Ende des Übungsteils sind die wichtigsten Tipps noch einmal zusammengefasst.

Wie Sie mit den Übungsaufgaben arbeiten können

Um den Mündlichen Ausdruck zu trainieren, sollten Sie sich eine Uhr mit Sekundenzeiger und einen Kassettenrekorder besorgen, auf den Sie Ihre Antworten aufnehmen können. Lösen Sie zunächst die einzelnen Übungen. Machen Sie dann eine kurze Pause, bevor Sie die vollständige Übungsaufgabe beantworten.

Die Vorbereitungszeit

Für jede Aufgabe steht Ihnen in der Prüfung eine bestimmte Vorbereitungszeit zur Verfügung. Wenn Sie die Übungsaufgaben bereits gelöst haben, können Sie bei manchen Aufgaben Ihre Stichworte aus der Übungsaufgabe verwenden und gleich mit dem Sprechen beginnen.
Wenn Sie eine neue Aufgabe selbstständig lösen möchten oder eine der Aufgaben aus dem Modelltest lösen, sollten Sie die Vorbereitungszeit wie in der Prüfung nutzen, um Ihre Gedanken zu ordnen. Notieren Sie zunächst alles, was Ihnen zu dem Thema einfällt und sortieren Sie dann Ihre Gedanken, indem Sie die Stichworte nummerieren. Wenn Sie danach noch Zeit haben, können Sie eine kurze Gliederung Ihrer Antwort in Stichworten entwerfen.
Schreiben Sie Ihren Text nicht vollständig vor! Das kann man in der Vorbereitungszeit nicht schaffen und in der Prüfung hätten Sie nach einer kurzen Einleitung kein Konzept mehr. Das könnte dazu führen, dass Sie wichtige Inhaltspunkte vergessen und Ihre Antwort schlechter bewertet wird.
Notieren Sie deshalb nur Stichworte, die Sie an das erinnern, was Sie zu den einzelnen Aspekten der Aufgabe sagen möchten. Anschließend können Sie in Gedanken Ihre Antwort schon einmal vorformulieren und eventuell einzelne Formulierungen zu bestimmten Gliederungspunkten aufschreiben. Wenn Sie die vollständigen Übungsaufgaben beantworten, sollten Sie nur Ihre Stichworte zu Hilfe nehmen, auch wenn Sie in den Übungen vielleicht bereits schriftlich Texte ausformuliert haben.

Sprechen ohne Partner trainieren

Trainieren Sie bei der Beantwortung der Übungsaufgaben das freie Sprechen. Lesen Sie immer nur ein bis zwei Stichworte auf einmal. Schauen Sie dann z. B. das Foto eines Freundes oder einer Freundin an und erzählen Sie, was Sie zu diesen Punkten zu sagen haben. Sehen Sie erst dann wieder auf Ihren Stichwortzettel.
Stellen Sie sich Ihren Gesprächspartner und die Gesprächssituation möglichst genau vor. Spielen Sie die Rolle, die Ihnen in der Aufgabenstellung zugewiesen wird, z. B. befreundeter Ratgeber oder

Student auf einer öffentlichen Diskussionsveranstaltung. Was würden Sie in dieser speziellen Situation sagen? Sprechen Sie möglichst natürlich, aber trotzdem bitte deutlich und nicht zu schnell. Beantworten Sie die Übungsaufgaben mehrmals. Begründen Sie z.B. einmal, warum Sie für einen Vorschlag sind und beim zweiten Mal, warum Sie dagegen sind.
Nehmen Sie Ihre Antworten auf einen Kassettenrekorder auf.

Einschätzung der eigenen Leistung
Hören Sie jede einzelne Antwort mehrmals an und überlegen Sie, wie Sie diese beurteilen würden. Die folgenden Fragen können Ihnen dabei helfen.

1. **Fragen Sie sich nach dem ersten Hören:**
   - Hört sich die Antwort natürlich an?
   - Ist die Antwort flüssig oder gibt es viele Pausen?
   - Kann man Sie gut verstehen?
   - Sprechen Sie deutlich?
   - Ist die Antwort klar gegliedert?
   - Kann man Ihren Gedankengang nachvollziehen?
   - Ist das, was Sie sagen, logisch?

2. **Sehen Sie sich noch einmal die Aufgabenstellung an und kontrollieren Sie beim zweiten Hören folgende Punkte:**
   - Haben Sie zu allen Punkten der Aufgabenstellung etwas gesagt?
   - Passt Ihre Antwort inhaltlich und sprachlich zu der Situation der Aufgabe?
   - Haben Sie getan, was in der Aufgabe verlangt wird, z.B. einen Ratschlag geben?
   - Ist die Argumentation schlüssig?
   - Werden Vor- und Nachteile aufgeführt?
   - Werden die Argumente begründet?

3. **Hören Sie Ihre Antwort ein drittes Mal an und notieren Sie, was Ihnen zu folgenden Fragen auffällt:**
   - Gibt es unterschiedliche Formulierungen (z.B. nicht immer nur das Verb „machen")?
   - Ist die Satzstellung richtig?
   - Verwenden Sie unterschiedliche Satzstrukturen oder sagen Sie z.B. immer wieder „und dann"?
   - Welche grammatischen Fehler fallen Ihnen auf?
   - Kann man trotz dieser Fehler verstehen, was Sie sagen möchten?

Vergleichen Sie Ihre Antwort mit dem Lösungsvorschlag im Lösungsschlüssel. Die Lösungsvorschläge sind etwas umfangreicher als die Antwort, die in der Prüfung von Ihnen verlangt wird. Dadurch sollen Ihnen möglichst viele Lösungsvarianten gezeigt werden. Denken Sie daran, dass der Lösungsvorschlag nur eine mögliche Lösung ist. Zu jeder Aufgabe sind unterschiedliche richtige Antworten möglich.
Üben Sie anschließend gezielt einige Redemittel ein, die Sie für die jeweilige Aufgabe benötigen.

Allgemeines zur Beurteilung Ihrer Antwort
- Es ist nicht so schlimm, wenn Sie ab und zu Fehler machen. Aber Ihre Antwort muss vollständig, inhaltlich richtig und gut verständlich sein.
- Welche persönliche Meinung Sie vertreten, wird nicht bewertet. Aber Ihre Antwort muss inhaltlich zu der Aufgabenstellung passen und sprachlich der Aufgabenstellung angemessen sein.
- Sie müssen nicht bis zum Ende der Redezeit sprechen. Es ist auch nicht schlimm, wenn Sie mit Ihrer Antwort in der vorgegebenen Zeit nicht fertig werden.
- Die Bewertung orientiert sich nicht an der Schriftsprache, sondern an der gesprochenen Sprache.

Mündlicher Ausdruck, Aufgabe 1

In der ersten Aufgabe zum Mündlichen Ausdruck sollen Sie ein Telefongespräch führen. Sie sprechen mit einer offiziellen Person, z.B. einem Angestellten der Verwaltung oder einer Sekretärin in einem deutschsprachigen Land. Sie haben ein Anliegen, z.B. möchten Sie sich immatrikulieren oder interessieren sich für Hochschulsportmöglichkeiten. In dem Telefongespräch sollen Sie nach Informationen zu diesem Anliegen fragen.

Fragen Sie sich:
1) In welcher Situation findet das Gespräch statt?
2) Mit wem sprechen Sie?
3) Welche Aufgabe haben Sie:
   a) Warum sprechen Sie mit der Person?
   b) Was sollen Sie sagen?

Mündlicher Ausdruck, Aufgabe 1

Sie möchten einen internationalen Studentenausweis beantragen. Deshalb rufen Sie beim Studentenwerk an.

Stellen Sie sich vor.
Sagen Sie, warum Sie anrufen.
Fragen Sie nach Einzelheiten zum internationalen Studentenausweis.

Sie: Vorbereitungszeit — 30 Sek.

Frau Wagner: (...)

Sie: Sprechzeit — 30 Sek.

Die Aufgabenstellung

Lesen Sie vor der Beantwortung die Aufgabenstellung genau.
Diese Fragestellungen zeigen Ihnen, worauf Sie bei Ihrer Antwort achten müssen. In der Prüfung wird die Arbeitsanweisung vorgelesen. Sie sollten die Arbeitsanweisung mitlesen und dabei alle wichtigen Informationen gleich markieren.

 Ü1 Markieren Sie in der Aufgabenstellung die Informationen zu den folgenden Fragen.

– In welcher Situation findet das Gespräch statt?
– Mit wem sprechen Sie?
– Welche Aufgabe haben Sie?

Sie möchten einen internationalen Studentenausweis beantragen. Deshalb rufen Sie beim Studentenwerk an.

Stellen Sie sich vor.
Sagen Sie, warum Sie anrufen.
Fragen Sie nach Einzelheiten zum internationalen Studentenausweis.

 Ü2 **Analysieren Sie nun die Aufgabenstellung. Markieren Sie die richtige Lösung.**

1 Sprechsituation

A Direktes Gespräch ▢
B Telefongespräch ▢
C Anrufbeantworter ▢

2 Mit wem sprechen Sie?

A Fremde Person, Mitarbeiter ▢
  des Studentenwerks
B Freund oder Freundin ▢

3 Warum sprechen Sie?

A Sie möchten die Person über ein Thema informieren. ▢
B Sie möchten mehr Informationen zu einem Thema. ▢
C Sie möchten wissen, ob es ein Problem gibt. ▢

4 Wie müssen Sie sprechen?

A Formell, höflich ▢
B Informell, freundschaftlich ▢

Aus der genauen Betrachtung der Übungsaufgabe ergibt sich für Ihre Antwort Folgendes:

– Sie telefonieren mit einer fremden Person, es handelt sich also um eine formelle Gesprächssituation. Dies müssen Sie auch bei der Begrüßung berücksichtigen.

– Außerdem müssen Sie Ihren Gesprächspartner mit „Sie" ansprechen.

– Nachdem Sie sich vorgestellt haben, sollen Sie den Grund Ihres Anrufes nennen. Dieser wird in der Aufgabenstellung genannt. Sie müssen es jedoch anders formulieren.

– Anschließend sollen Sie möglichst viele Informationen über den internationalen Studentenausweis erfragen. Das heißt, Sie sollen Fragen stellen.

Bei allen Aufgaben zum Mündlichen Ausdruck sollten Sie sich so natürlich wie möglich verhalten. Stellen Sie sich die Situation der Aufgabe konkret vor:

Sie telefonieren mit jemandem, den Sie nicht kennen.
Wie beginnen Sie das Gespräch?

CD **1**, 23

Frau Wagner

Hei, mein Name ist ...
Grüß dich ..., hier ist ...
Hallo, mein Name ist ...
Guten Tag, mein Name ist ...
Hallo, mit wem spreche ich?
Ich bin ...

Warum rufen Sie an? Ergänzen Sie die folgenden Einleitungen.

beantworten ● möchte ● möchte ● beantragen möchte ● informieren ● Nun ●
studiere ● beantragen kann ● einige Fragen ● weil ● beantragen ● Könnten

— Guten Tag, mein Name ist ... . Ich rufe an, _____ (1) ich einen
  internationalen Studentenausweis _____ (2) und noch
  _____ (3) dazu habe.

— Guten Tag, ich heiße ... . Ich _____ (4) seit diesem Semester
  an der Hochschule hier und _____ (5) einen internationalen
  Studentenausweis _____ (6). _____ (7) habe
  ich noch ein paar Fragen dazu.

— Guten Tag, mein Name ist ... . Ich habe gehört, dass man bei Ihnen einen
  internationalen Studentenausweis _____ (8).
  _____ (9) Sie mir vielleicht einige Fragen dazu
  _____ (10)?

— Guten Tag, mein Name ist ... . Ich _____ (11) mich über den internationalen Studentenausweis _____ (12).

Die Vorbereitungszeit nutzen

Nutzen Sie Ihre Vorbereitungszeit. Machen Sie Stichpunkte über den Inhalt Ihrer Antwort.
Schreiben Sie keine vollständigen Sätze. Die Stichpunkte sollen Ihnen nur helfen, wenn Sie nicht
mehr weiter wissen.
Notieren Sie zunächst alles, was Ihnen zu dem Thema der Aufgabe einfällt.
Bringen Sie danach Ihre Stichworte in eine Reihenfolge, indem Sie die einzelnen Stichworte num-
merieren. In Ihrer Antwort sollten Sie Fragen, die zusammen gehören, nacheinander stellen. In der
Sprechzeit haben Sie Zeit, um etwa 3–5 Fragen zu stellen, nachdem Sie sich vorgestellt haben.

In dieser Übungsaufgabe können Sie Fragen zum Studentenausweis (z.B. Wie lange ist der Ausweis
gültig?) oder zur Beantragung des Studentenausweises stellen (z.B. Was braucht man, wenn man den
Ausweis beantragen möchte?). Sammeln Sie zunächst, was Ihnen zu diesen beiden Punkten einfällt.

Ü 5   Sie möchten einen internationalen Studentenausweis beantragen.
Wonach könnten Sie fragen? Notieren Sie Stichworte.

Fragen zum Studentenausweis	Fragen zur Antragstellung
Welche Vorteile?	Passfoto?

Aus diesen Stichworten müssen Sie in der Sprechzeit vollständige Sätze bilden.
Sprechen Sie sich in der Prüfung während der Vorbereitungszeit schon einmal in Gedanken
den vollständigen Text vor. Schreiben Sie nicht Ihre vollständige Antwort auf, dazu ist die
Vorbereitungszeit zu kurz.
Sie können das freie Sprechen trainieren, indem Sie Stichworte zu unterschiedlichen Themen
notieren (z. B. zum Semesterticket für öffentliche Verkehrsmittel oder zu einem Ausflug des
Akademischen Auslandsamtes) und anschließend mündlich Fragen dazu formulieren.

Ü 6   Formulieren Sie Fragen zum internationalen Studentenausweis,
indem Sie die beiden Satzteile miteinander verbinden.

1	Können auch ausländische Studenten	A	Vergünstigungen habe ich mit dem Ausweis?
2	Wer	B	den Ausweis für mich abholen?
3	Wie lange	C	kann ich den Ausweis abholen?
4	Welche	D	kann ich den Ausweis benutzen?
5	Wo / In welchen Ländern	E	bis der Ausweis fertig ist?
6	Was brauche ich,	F	kann diesen Ausweis beantragen?
7	Brauche ich	G	kostet der Ausweis?
8	Wie viel	H	wenn ich den Ausweis beantragen möchte?
9	Wie lange dauert es,	I	ein Passbild?
10	Wann	J	in Deutschland einen internationalen Studentenausweis beantragen?
11	Kann eine Freundin	K	ist der Ausweis gültig?

Normalerweise stellt man in einem Gespräch nicht eine direkte Frage nach der anderen. Das ist
zwar nicht falsch, klingt aber etwas unhöflich. Oft verwendet man deshalb auch indirekte Fragesätze. Wählen Sie aus der folgenden Übung eine Formulierung aus, die Ihnen gefällt, und lernen
Sie diese. Verwenden Sie in Ihrer Antwort auf die Gesamtaufgabe diese Formulierung für einen
indirekten Fragesatz.

Ü 7   **Bilden Sie indirekte Fragesätze. Verwenden Sie Fragen aus Übung 6.**
Beginnen Sie die Sätze mit folgenden Formulierungen:

- Ich möchte mich erkundigen,
- Ich hätte gerne gewusst,
- Außerdem würde ich gerne wissen,
- Mir ist auch nicht ganz klar,
- Könnten Sie mir vielleicht auch sagen,

Ich hätte gerne gewusst, ob ich ein Passbild brauche.

_____

_____

_____

_____

_____

Ü 8   **Ergänzen sie die folgende Antwort auf die Übungsaufgabe.**
In eine Lücke passen maximal 4 Wörter.

Guten Tag, _____ (1) ist Monika Schneider.
_____ (2) gerne einen internationalen Studentenausweis
kaufen und habe noch einige Fragen dazu.
_____ (3) sagen, welche Vergünstigungen man durch
den Ausweis hat und in welchen Ländern er anerkannt wird?
_____ (4) würde ich gerne wissen, was der Ausweis
kostet und _____ (5) er gültig ist.
_____ (6) ich den Ausweis beantrage, wie lange muss ich
dann warten, bis er fertig ist? _____ (7) vielleicht auch
meine Freundin den Ausweis abholen, falls ich dann nicht hier bin?
_____ (8) habe ich noch: _____ (9)
muss ich mitbringen, wenn ich den Ausweis beantrage?
_____ (10) Sie auch ein Passfoto von mir?
Entschuldigen Sie die vielen Fragen, _____ (11) es ist
alles ganz neu für mich.

Ü 9   **Hören Sie den Text zu Übung 8 und kontrollieren Sie Ihre Lösungen**
beim Hören.

CD **1**, 24

Ü 10   **Versuchen Sie nun, die erste Aufgabe zum Mündlichen Ausdruck (S. 125)**
selbst zu bearbeiten. Verwenden Sie Ihre Stichworte aus Ü 5.

CD **1**, 25

Mündlicher Ausdruck, Aufgabe 2

In der zweiten Aufgabe zum Mündlichen Ausdruck sollen Sie eigene Erfahrungen oder alltägliche Sachverhalte aus Ihrem Heimatland beschreiben. Sie sprechen in Ihrer Freizeit, z.B. in einem Studentenwohnheim mit einem oder mehreren deutschen Mitstudenten.

Mündlicher Ausdruck, Aufgabe 2

Sie spielen mit einigen deutschen Freunden auf der Wiese vor der Bibliothek Fußball. Frank, ein Mitspieler, fragt Sie in der Pause, welche Sportmöglichkeiten es in Ihrem Heimatland und speziell an den Hochschulen gibt.

Beschreiben Sie z. B.
– **welche Sportarten in Ihrem Heimatland betrieben werden,**
– **wo man normalerweise Sport macht,**
– **welche Rolle Sport an den Hochschulen spielt.**

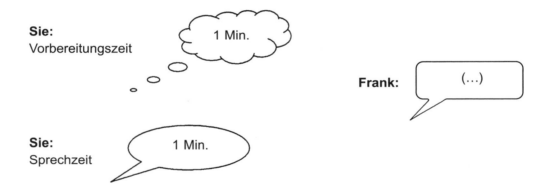

Sie: Vorbereitungszeit — 1 Min.

Frank: (…)

Sie: Sprechzeit — 1 Min.

 Ü1   Markieren Sie in der Aufgabenstellung die wichtigen Informationen.

– Wie ist die Situation?
– Worüber sprechen Sie?
– Was ist die Sprechaufgabe?

Sie spielen mit einigen deutschen Freunden auf der Wiese vor der Bibliothek Fußball. Frank, ein Mitspieler, fragt Sie in der Pause, welche Sportmöglichkeiten es in Ihrem Heimatland und speziell an den Hochschulen gibt.

Beschreiben Sie z. B.
• welche Sportarten in Ihrem Heimatland betrieben werden,
• wo man normalerweise Sport macht,
• welche Rolle Sport an den Hochschulen spielt.

Ü 2   Analysieren Sie nun die Aufgabenstellung. Markieren Sie die richtige Lösung.

1 Sprechsituation: **2** Mit wem sprechen Sie?

A Direktes Gespräch   A Fremde Person

B Telefongespräch   B Freund oder Freundin

C Anrufbeantworter   C Bekannte Person

3 Warum sprechen Sie?

A Fragen, ob die Person Ihnen helfen kann.

B Sie argumentieren zu einem Thema.

C Sie geben Informationen.

4 Was ist das Ziel?

A Sie möchten die Person über ein Thema informieren.

B Sie möchten mehr Informationen zu einem Thema.

C Sie möchten jemanden überzeugen.

5 Wie müssen Sie sprechen?

A Formell, höflich

B Informell, freundschaftlich

Aufgabenstellung

Bei der zweiten Aufgabe zum Mündlichen Ausdruck sollen Sie ein direktes Gespräch führen.
Sie stehen Ihrem Gesprächspartner gegenüber und brauchen sich nicht vorzustellen, denn die
Person ist Ihnen bekannt (Freund, Mitstudent).
– Sie sagen „du".
– Sie können Ihren Gesprächspartner in der Situation direkt mit Namen ansprechen.
– Sie können gleich mit der Information beginnen.
– Sie sollen Informationen geben, einen Sachverhalt beschreiben.
– In dieser Übungsaufgabe sollen Sie zu dem Thema „Sport in Ihrem Heimatland" sprechen.

In der Aufgabenstellung werden einzelne Unterpunkte genannt, zu denen Sie etwas sagen sollen.
Versuchen Sie, zu allen diesen Aspekten etwas zu sagen. Falls Sie zu einem der Punkte nichts sagen
können, sollten Sie dies zumindest kurz erwähnen und dann einen anderen Aspekt ausführlicher
behandeln.
Die einzelnen Unterpunkte der Aufgabenstellung können Ihnen als Gliederung für Ihre Antwort
dienen. Dann können Sie die Stichworte für Ihre Antwort gleich systematisch notieren.

 **Ü 3   Notieren Sie alles, was Ihnen spontan zum Thema „Sport im Heimatland"
einfällt. Schreiben Sie Stichwörter.**

1 Welche Sportarten?

Fußball,

2 Wo?
nicht in Vereinen, _____

_____

3 Sport an der Hochschule?
Sportstudium, _____

_____

Was tun, wenn man nicht gut informiert ist?

Wenn Sie zu einer Fragestellung nicht sehr viel wissen, so können Sie das in der Prüfung sagen. Das ist besser, als einen Punkt der Aufgabenstellung ganz auszulassen. Anschließend können Sie Vermutungen äußern, wie die Situation in Ihrer Heimat wahrscheinlich ist.

Ü 4 **Sie wissen nichts über den Hochschulsport in Ihrer Heimat.**
Was können Sie sagen? Markieren Sie die korrekten Lösungen (A–E).

A Leider kann ich dir nicht sagen, wie das mit dem Hochschulsport bei uns aussieht. Ich habe zu Hause ja noch nicht studiert. Aber ich glaube, ...

B Über Sportmöglichkeiten an der Hochschule bei uns zu Hause habe ich mir noch nie Gedanken gemacht. Wahrscheinlich ...

C Ich finde das Thema Sport an der Hochschule nicht besonders interessant. Da will ich jetzt nichts dazu sagen.

D Ob man an der Hochschule Sport machen kann, weiß ich leider nicht. Ich fange hier in Deutschland ja erst mit dem Studium an. Ich kann mir aber vorstellen, dass ...

E Ich interessiere mich sehr für das Sportangebot an den deutschen Hochschulen und möchte hier unbedingt Sport machen.

In dieser Aufgabe zum Mündlichen Ausdruck sollen Sie über Sportarten sprechen. In Kombination mit den verschiedenen Sportarten gibt es unterschiedliche feste Wortverbindungen.

Ü 5 **Suchen Sie das passende Verb zu den Sportarten.**

Fußball	_____	*Basketball*	_____
Volleyball	_____	*Leichtathletik*	_____
Tennis	_____	*Sport*	_____

Ü 6 **Welches Wort passt?**

Ach, *weißt / kennst / hast* du, Frank, *in / bei / an* uns zu Hause *macht / kann / will* man viel Sport.

Am beliebtesten ist *Sport / Fußball / Lesen.*

Frauen *mögen/wollen/lieben* Fußball allerdings meistens nicht so gern.

In der Schule *wird/hat/muss* viel Leichtathletik gemacht.

Und an der Universität hat man *die Möglichkeit, / die Erfahrung, / das Alter,* viele Teamsportarten zu treiben.

Hören Sie nun eine mögliche Lösung zur zweiten Aufgabe des Mündlichen Ausdrucks. In der folgenden Übung sind die einzelnen Elemente abgedruckt. Die Reihenfolge ist aber falsch.

 Bringen Sie die einzelnen Elemente in die richtige Reihenfolge. Achten Sie dabei auf den logischen Aufbau.

CD 1, 26

__1__ Also bei uns spielt man hauptsächlich Fußball. Da ist die Situation gar nicht so anders als hier in Deutschland. Obwohl Mädchen bei uns nicht Fußball spielen.

_____ Es gibt bei uns nicht so viele Sportvereine. Fußball z. B. wird vor allem auf der Straße gespielt. Und schwimmen kann man im Meer.

_____ Und es gibt bei uns natürlich noch viele andere Möglichkeiten, Freizeitsport zu machen, z. B. Schwimmen oder Segeln. Aber am weitesten verbreitet ist wohl Fußball.

_____ Aber es gibt Sportkurse z. B. an den Schulen und an der Uni.

_____ Du hast gefragt, wo man bei uns Sport macht. Also meistens ist der Sport nicht so organisiert wie in Deutschland.

_____ Ich weiß allerdings nicht ganz genau, wie das an der Uni funktioniert, weil ich ja in meiner Heimat noch nicht studiert habe.

_____ Die machen meist eine andere Sportart, wie zum Beispiel Tennis.

__8__ Ich nehme an, dass man sich am Anfang des Semesters für bestimmte Sportkurse anmelden kann, z. B. für Schwimmen oder Volleyball. Wahrscheinlich kosten diese Kurse nichts extra.

Beantworten Sie nun die zweite Übungsaufgabe zum Mündlichen Ausdruck (S. 130). Verwenden Sie Ihre Notizen aus Ü 3.

CD 1, 27

Mündlicher Ausdruck, Aufgabe 3

Bei der dritten Aufgabe zum Mündlichen Ausdruck sollen Sie in einem Kurs, z.B. einem Deutsch- oder Landeskundekurs eine Grafik zu einer sachlichen oder wissenschaftlichen Fragestellung beschreiben und die wichtigsten Informationen der Grafik zusammenfassen.

Mündlicher Ausdruck, Aufgabe 3

In einem Orientierungskurs für ausländische Studierende sprechen Sie über das Thema „Studieren in Deutschland". Ihre Dozentin, Frau Weiß, hat eine Grafik mitgebracht, die zeigt, wie sich der Anteil der ausländischen Studierenden entwickelt hat. Frau Weiß bittet Sie, diese Grafik zu beschreiben.

Erklären Sie den anderen Kursteilnehmenden den Aufbau der Grafik.
Fassen Sie dann die Informationen der Grafik zusammen.

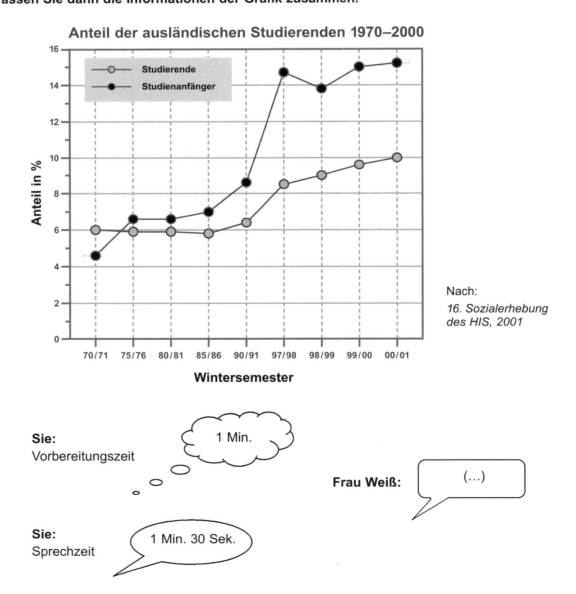

Nach:
16. Sozialerhebung des HIS, 2001

Die Aufgabenstellung

Markieren Sie in der Prüfung, während die Aufgabenstellung vorgelesen wird, alle wichtigen Informationen. Überlegen Sie dann, welche Rolle Sie in der Gesprächssituation haben, und wie Sie Ihre Antwort angemessen formulieren können. Schauen Sie anschließend die Grafik an und markieren Sie zuerst die Informationen zum Thema, der Quelle und dem Erscheinungsjahr der Grafik.

 Ü1 **Lesen Sie die Aufgabenstellung und beantworten Sie die Fragen.**

> In einem Orientierungskurs für ausländische Studierende sprechen Sie über das Thema „Studieren in Deutschland". Ihre Dozentin, Frau Weiß, hat eine Grafik mitgebracht, die zeigt, wie sich der Anteil der ausländischen Studierenden entwickelt hat. Frau Weiß bittet Sie, diese Grafik zu beschreiben.
>
> **Erklären Sie den anderen Kursteilnehmenden den Aufbau der Grafik.**
> **Fassen Sie dann die Informationen der Grafik zusammen.**

A *Fragen zur Situation:*

1 Welche Rolle haben Sie? _____

2 Was sollen Sie tun? _____

3 Wo sollen Sie sprechen? _____

4 Wer hört zu? _____

5 Kennen Sie die Zuhörer? _____

6 Sagen Sie „du" oder „Sie" zu den Zuhörern? _____

B *Fragen zur Grafik auf S. 134:*

1 Wie lautet das Thema der Grafik? _____

2 Welche Quelle hat die Grafik? _____

3 Aus welchem Jahr stammt die Grafik? _____

4 Welchen Zeitraum beschreibt die Grafik? _____

Die Antwort formulieren

In der Mündlichen Prüfung werden reale Situationen simuliert. Sie sollten versuchen, möglichst natürlich zu antworten. Wie Sie Ihre Antwort anfangen, hängt deshalb auch davon ab, wie Sie von Ihrem fiktiven Gesprächspartner angesprochen werden.

 Ü2 **Hören Sie, was Ihre Dozentin sagt. Wie könnten Sie Ihre Antwort anfangen? Markieren Sie die passenden Lösungen.**

CD 1, 28

(...)

Frau Weiß

A An den Anfang meines Vortrags möchte ich eine Grafik stellen.

B Zu dem Thema unseres Kurses gibt die vorliegende Grafik interessante Informationen.

C Liebe Frau Weiß, das mache ich gerne.

D Ja, gern. Die vorliegende Grafik zeigt …

E Sehr geehrte Damen und Herren, im Folgenden möchte ich Ihnen
   die Grafik mit dem Titel … vorstellen.

F Wie ihr alle seht, geht es in der Grafik um …

G Die Grafik mit dem Titel „Anteil der ausländischen Studierenden" zeigt …

Den Aufbau der Grafik beschreiben

Sie sollen zuerst den Aufbau der Grafik beschreiben. Denken Sie dabei an die Gesprächssituation:
Ihre Zuhörer haben die Grafik vorliegen und Sie stellen die Daten der Grafik dar. Sie können am
Anfang die Quelle und das Erscheinungsjahr der Grafik nennen.

Ü 3   **Ergänzen Sie den Lückentext.**

Ja, gern. Die vorliegende Grafik zeigt, wie sich _____ (1)
in den Jahren _____ (2) bis _____ (3)
entwickelt hat. Die Zahlen und Daten stammen aus dem Jahr _____ (4).
Als Quelle wird die _____ (5) genannt.

Wenn die Quellenangabe und das Erscheinungsjahr für die Interpretation der Grafik nicht wichtig
sind, können Sie nach dem Einleitungssatz mit der Beschreibung des Aufbaus der Grafik beginnen.
Überlegen Sie:
– Wie werden die Informationen dargestellt?
– Welche Angaben findet man auf der x- und auf der y-Achse?
– Was bedeuten die dargestellten Kurven?

CD 1, 29

Ü 4   **Ergänzen Sie beim Hören den Text.**

Die _____ Grafik _____ den Anteil
ausländischer Studierender in _____. Auf der horizontalen
_____ sind die Jahre von 1970 bis 2001 _____.
Wobei von 1979 bis 1990 jeweils die Entwicklung von 5 Jahren _____
_____ ist. Ab 1997 werden für jedes Studienjahr eigene Angaben gemacht.
Auf der _____ gibt es Informationen zu den Prozentzahlen
in den _____. Die Grafik _____ auslän-
dischen Studienanfängern und ausländischen Studenten, die bereits studieren.

Die Grafik zusammenfassen

Sie haben nun das Thema und den Aufbau der Grafik beschrieben. Als nächstes sollen Sie die Daten
der Grafik zusammenfassen. Sie sollen nicht alle in der Grafik enthaltenen Informationen nennen.
– Überlegen Sie zuerst, ob es eine allgemeine Tendenz gibt.
– Beschreiben Sie dann wichtige Entwicklungen.
– Nennen Sie sogenannte *Eckdaten*, das heißt Daten, die an den Extrempunkten von Entwicklungen
  stehen: *Anfang – Ende – Höhepunkt – Tiefpunkt*.

Sehen Sie sich zuerst die Zahlen zu den ausländischen Studenten an, die bereits studieren.

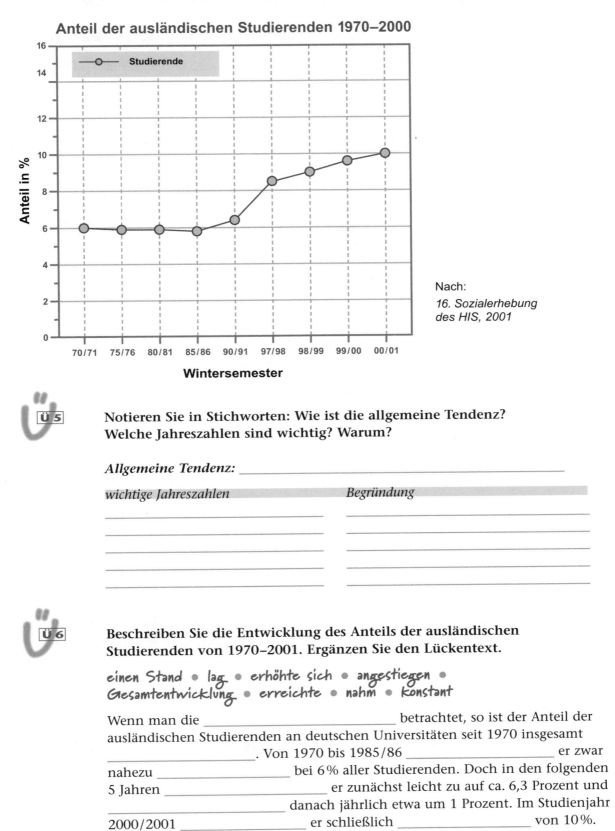

Anteil der ausländischen Studierenden 1970–2000

Nach:

16. Sozialerhebung des HIS, 2001

Ü 5 **Notieren Sie in Stichworten: Wie ist die allgemeine Tendenz? Welche Jahreszahlen sind wichtig? Warum?**

Allgemeine Tendenz: _____

wichtige Jahreszahlen	*Begründung*
_____	_____
_____	_____
_____	_____
_____	_____

Ü 6 **Beschreiben Sie die Entwicklung des Anteils der ausländischen Studierenden von 1970–2001. Ergänzen Sie den Lückentext.**

einen Stand • lag • erhöhte sich • angestiegen •
Gesamtentwicklung • erreichte • nahm • konstant

Wenn man die _____ betrachtet, so ist der Anteil der
ausländischen Studierenden an deutschen Universitäten seit 1970 insgesamt
_____ . Von 1970 bis 1985/86 _____ er zwar
nahezu _____ bei 6% aller Studierenden. Doch in den folgenden
5 Jahren _____ er zunächst leicht zu auf ca. 6,3 Prozent und
_____ danach jährlich etwa um 1 Prozent. Im Studienjahr
2000/2001 _____ er schließlich _____ von 10%.

Ü 7 Sammeln Sie Formulierungen zur Beschreibung von Grafiken.

Zunahme	Abnahme	keine Veränderung
zunehmen	abnehmen	unverändert sein

Ü 8 Beschreiben Sie nun die Entwicklung des Anteils der ausländischen Studienanfänger.

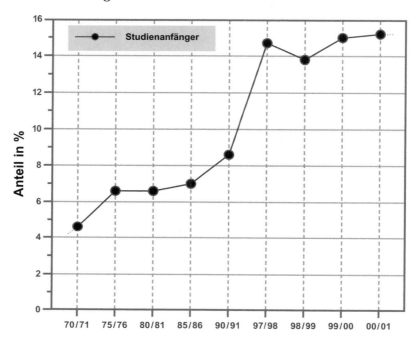

_____ (1) 1970 hat sich der Anteil der ausländischen Studienanfänger an den Studierenden in Deutschland insgesamt _____ (2). Nach einem _____ (3) in den ersten 5 Jahren von 4,2 auf 6,5 Prozent blieb der Prozentsatz der ausländischen Studienanfänger zwar zunächst 10 Jahre lang _____ (4). Doch seit 1985 hat er sich wieder stark _____ (5). So _____ (6) der Anteil der ausländischen Studierenden in Deutschland von 1985 bis 1997 von 6, 5 Prozent auf 14,5 Prozent zu und blieb bis zum Jahr 2001 _____ (7).

Ü 9 **Beantworten Sie nun die vollständige Übungsaufgabe auf S. 134 selbst.**
(Sie müssen die einzelnen Entwicklungen dabei nicht so detailliert beschreiben wie in den Übungen 6 und 8, sondern können etwas mehr zusammenfassen.)

CD 1, 30

Mündlicher Ausdruck, Aufgabe 4

Bei der vierten Aufgabe zum Mündlichen Ausdruck sprechen Sie vor einer relativ großen Gruppe z. B. in einer öffentlichen Informations- oder Diskussionsveranstaltung an einer Hochschule in Deutschland. An der Veranstaltung nehmen sowohl Studierende als auch Dozenten, Professoren und wichtige Beamte der Universität teil. Es geht um ein bildungspolitisches oder gesellschaftliches Problem. Sie sollen dazu Stellung nehmen und Ihre Meinung begründen. Dabei sollen Sie die Vor- und Nachteile unterschiedlicher Möglichkeiten gegeneinander abwägen.

Mündlicher Ausdruck, Aufgabe 4

Zurzeit gibt es in vielen Bereichen in Deutschland Sparmaßnahmen. Auch an Ihrer Hochschule wird heftig darüber diskutiert, wo man Geld einsparen könnte. Ein Vorschlag ist, die Universitätsbibliothek
1. am Sonntag gar nicht mehr zu öffnen und
2. an Wochentagen früher zu schließen (um 18.00 statt um 22.00 Uhr).

In einer Informationsveranstaltung der Hochschule stellt die Leiterin der Universitätsbibliothek, Frau Prof. Kraft, diesen Plan zur Diskussion.

Nehmen Sie Stellung zu dem Vorschlag:
– Wägen Sie Vorteile und Nachteile dieses Plans ab.
– Begründen Sie Ihre Zustimmung oder Ablehnung.

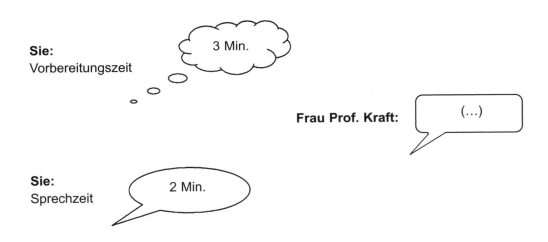

Ü1 Markieren Sie zuerst in der Aufgabenstellung die Informationen zur <u>Situation</u>, zum <u>Thema</u> und zur <u>Sprechaufgabe</u>.

> Zurzeit gibt es in vielen Bereichen in Deutschland Sparmaßnahmen. Auch an Ihrer Hochschule wird heftig darüber diskutiert, wo man Geld einsparen könnte. Ein Vorschlag ist, die Universitätsbibliothek
> 1. am Sonntag gar nicht mehr zu öffnen und
> 2. an Wochentagen früher zu schließen (um 18.00 statt um 22.00 Uhr).
>
> In einer Informationsveranstaltung der Hochschule stellt die Leiterin der Universitätsbibliothek, Frau Prof. Kraft, diesen Plan zur Diskussion.
>
> **Nehmen Sie Stellung zu dem Vorschlag:**
> – **Wägen Sie Vorteile und Nachteile dieses Plans ab.**
> – **Begründen Sie Ihre Zustimmung oder Ablehnung.**

Den Redebeitrag beginnen

Überlegen Sie nun, welche Rolle Sie in dieser Aufgabe einnehmen sollen. Sollten Sie Ihre Zuhörer ansprechen? Wenn ja, wie? Welche Formulierungen sind in einer offiziellen Diskussionsveranstaltung angemessen?

 Ü2 Kreuzen Sie die Sätze an, mit denen Sie Ihren Redebeitrag anfangen können. Wenn Sie eine Formulierung unpassend finden, notieren Sie in Stichworten, warum.

CD 1, 31

Begründung

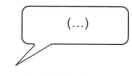

Frau Prof. Kraft

A Na ja, das ist doch ganz klar. Für uns Studenten ist das echt nicht so gut.

B Ja, das ist für uns Studenten natürlich ein Problem.

C Ja, darüber habe ich auch schon viel nachgedacht.

D Die Frage kann ich dir leider nicht so leicht beantworten, denn es gibt viele Vor- und Nachteile des Vorschlags.

E Frau Prof. Kraft, diese Frage ist nicht so einfach zu beantworten.

Die eigene Meinung ausdrücken

Sie sollen Ihre Meinung sagen. Sie können dies am Anfang Ihrer Antwort tun und danach die unterschiedlichen Argumente dafür und dagegen abwägen.

Ü 3 Finden Sie Redemittel, die eine Meinungsäußerung einleiten können.

_____

_____

_____

_____

Ü 4 Ergänzen Sie die folgenden Sätze. Achten Sie auf die Satzstellung.

1 _____
sollte die Bibliothek am Sonntag
nicht geschlossen werden.

A   Meiner Meinung nach
B   Ich denke, dass
C   Ich halte das für

2 _____
die Bibliothek am Sonntag geöffnet bleiben sollte.

A   Wenn Sie mich fragen, dann
B   Ich bin der Meinung,
C   Ich denke, dass

3 _____
sollte die Bibliothek am Sonntag
ruhig geschlossen bleiben.

A   Meines Erachtens
B   Ich meine
C   Ich denke

4 _____
könnte die Bibliothek sonntags
ruhig geschlossen werden.

A   Wenn Sie mich fragen, dann
B   Ich denke
C   Ich bin davon überzeugt, dass

Argumente sammeln

Sie sollen die Argumente, die für und gegen den Vorschlag in der Aufgabenstellung sprechen, gegeneinander abwägen. Sie haben 3 Minuten Vorbereitungszeit. Sammeln Sie in dieser Zeit Argumente pro und contra. Achten Sie darauf, dass Sie nur sachliche Argumente notieren, denn Sie sprechen auf einer offiziellen Veranstaltung an der Universität.

Es ist nicht ausschlaggebend, dass Sie möglichst viele Argumente nennen. Wichtiger ist, dass Sie Ihre Argumentation logisch aufbauen. Die Argumente, die Sie anführen, müssen Sie auch begründen und eventuell durch Beispiele anschaulich machen.

Schreiben Sie zunächst alles auf, was Ihnen einfällt. Ordnen Sie anschließend Ihre Argumente, indem Sie Zahlen und eventuell Buchstaben hinzufügen. Dadurch können Sie die Reihenfolge der Argumente festlegen und Argumente kennzeichnen, die zueinander passen.

Ü 5 Sammeln Sie Argumente pro und contra kürzere Öffnungszeiten der Universität. Ordnen Sie diese Argumente anschließend durch Zahlen und Buchstaben.

pro

_____

_____

_____

_____

_____

contra

_____

_____

_____

_____

_____

Argumentieren

Allgemein gibt es zwei Möglichkeiten der Argumentation. Entweder Sie zählen zuerst alle Argumente auf, die für eine Sache sprechen, danach alle Argumente dagegen und sagen dann, warum Sie aufgrund dieser Argumente eine bestimmte Meinung vertreten.

Argumente pro
1a _____ 1b _____ 1c _____

Argumente contra
2a _____ 2b _____ 2c _____

Zusammenfassung / eigene Meinung mit Begründung

Sie können aber auch jeweils ein Argument pro einem Argument contra gegenüberstellen.

Argumente pro   *Argumente contra*
1a _____   1b _____
2a _____   2b _____
3a _____   3b _____

Zusammenfassung / eigene Meinung mit Begründung

Wie Sie Ihre Argumentation aufbauen, können Sie selbst entscheiden. Wichtig ist, dass Ihre Antwort logisch nachvollziehbar ist und eine klare Struktur aufweist. Dann kann man Ihrem Gedankengang folgen.
Wenn Sie Argumente gegeneinander abwägen, benötigen Sie Redemittel, die Gegensätze oder Einschränkungen ausdrücken.

Ü 6   **Sammeln Sie Redemittel, mit denen man gegensätzliche Argumente miteinander verbinden und ein Argument relativieren kann.**

aber, jedoch, allerdings _____
_____
_____

Ü 7   **Verbinden Sie die Sätze. Verwenden Sie die angegebenen Redemittel.**

1   *zwar — aber*
Die Universität kann durch kürzere Öffnungszeiten Geld sparen. –
Das Studium wird für die Studenten erschwert.

2   *einerseits — andererseits*
Die langen Öffnungszeiten werden kaum genutzt. Abends sind nur wenige Studenten in der Bibliothek. –
Arbeitende Studenten und Studierende mit Kindern haben tagsüber keine Zeit und brauchen die Öffnungszeiten am Abend.

3   *obwohl*
Man kann Bücher kopieren oder ausleihen. –
Lange Öffnungszeiten sind wichtig, um die Bücher in Ruhe anzuschauen, bevor man sie ausleiht.

4 zwar — aber
Der Katalog der Uni ist auch Online verfügbar. –
Nicht alle Studenten haben zu Hause einen Computer.

5 allerdings
Man kann Bücher über das Wochenende ausleihen. –
Zeitschriften sind nicht ausleihbar.

Die eigene Meinung begründen

Sie sollen begründen, warum Sie dem Vorschlag aus der Aufgabenstellung zustimmen oder nicht.
Bei der Bewertung Ihrer Antwort spielt es in der Prüfung keine Rolle, welche Meinung sie vertreten.
Wichtig ist, dass Sie sachlich und logisch nachvollziehbar sprechen. Das heißt, antworten Sie so,
dass andere Ihre Argumentation verstehen können.

Verwenden Sie unterschiedliche Formulierungen, um ihre Argumente zu begründen.

Ü 8   **Welche Formulierung passt?**

1   Aufgrund / Aus diesem Grund / Mangels ihrer schlechten Finanzlage
überlegt die Universität, die Öffnungszeiten der Bibliothek zu beschränken.

2   Ich halte das für eine gute Lösung, deshalb / wegen / zumal z.B. sonntags
nur sehr wenige Studierende in der Bibliothek sind.

3   Allerdings sind Studenten mit wenig Geld benachteiligt, aufgrund /
deswegen / weil sie sich wichtige Bücher nicht selbst kaufen können.

4   Es ist besser, an den Öffnungszeiten zu sparen als am Kauf neuer Bücher.
Aus diesem Grund / Denn / Wegen bin ich für den Vorschlag.

Ende des Redebeitrags

Geben Sie am Ende Ihrer Antwort noch einmal eine kurze Zusammenfassung des wichtigsten
Arguments. Wiederholen Sie aber nicht nur das, was Sie bereits gesagt haben. Sie können an dieser
Stelle auch persönliche Argumente oder Erfahrungen einfügen, wenn Sie diese sachlich vortragen.
Sagen Sie zunächst, wie Sie zu dem Vorschlag stehen.

Ü 9   **Formulieren Sie Ihre Zustimmung oder Ablehnung mit folgenden
Redemitteln.**

zustimmen   ablehnen
einverstanden sein mit   nicht einverstanden sein mit
dafür sein   dagegen sein
befürworten   die Ansicht nicht teilen

z.B.
– Ich stimme dem Vorschlag der Universitätsverwaltung zu.
– Ich bin einverstanden mit dem Vorschlag der Universitätsverwaltung.

Einen Fehler gemacht? Den Faden verloren?

In der Prüfung sind Sie sicherlich nervös. Es kann passieren, dass Sie plötzlich nicht mehr wissen, was Sie sagen wollten. Vielleicht finden Sie auch gerade nicht das passende Wort oder Sie müssen das, was Sie gesagt haben, korrigieren, weil Sie merken, dass Sie einen Fehler gemacht haben. Werden Sie dann nicht nervös. Sagen Sie etwas, um die Zeit zu überbrücken, bis Sie wieder wissen, wie Sie weitersprechen möchten.

Ü 10 **Was sagt man, wenn man aus dem Konzept gekommen ist (A), einen Fehler gemacht hat (B) oder das richtige Wort nicht finden kann (C)? Markieren Sie A, B oder C.**

1	A	B	C	Augenblick bitte, ach ja, jetzt weiß ich wieder, was ich sagen wollte.
2	A	B	C	… beziehungsweise …
3	A	B	C	Entschuldigung, aber ich habe den Faden verloren.
4	A	B	C	Ich finde das richtige Wort jetzt nicht, aber …
5	A	B	C	Jetzt habe ich leider vergessen, was …
6	A	B	C	Mir fällt das Wort jetzt nicht ein, aber …
7	A	B	C	Nein, ich wollte sagen, …
8	A	B	C	Nein, das ist nicht richtig. Es muss heißen …
9	A	B	C	… oder besser / genauer gesagt …
10	A	B	C	Was wollte ich noch sagen? Verzeihen Sie bitte! Ich weiß es gleich wieder. Ach ja …
11	A	B	C	Verzeihung. Ich muss ganz kurz noch einmal in meinen Notizen nachschauen.

Ü 11 **Formulieren Sie das Ende des Redebeitrags, indem Sie die Lücken ergänzen.**

Ich denke, _____ man alle diese Argumente betrachtet, überwiegen eindeutig die Nachteile von kürzeren Bibliotheksöffnungszeiten. _____ bin ich dagegen, sonntags die Bibliothek ganz und an Werktagen früher zu schließen. _____ die Zahl der Studierenden, _____ arbeiten müssen, wächst ständig. Ich weiß aus eigener Erfahrung, _____ es oft notwendig ist, sonntags in der Bibliothek zu arbeiten, _____ man unter der Woche zu wenig Zeit für das Studium hat. _____ kann man sich viel besser konzentrieren, _____ nicht so viele Studenten in der Bibliothek sind. Die Universität sollte sich _____ meiner Meinung nach weiterhin den Luxus langer Öffnungszeiten erlauben, _____ die Qualität des Studiums für alle garantiert werden kann.

Ü 12 **Antworten Sie nun selbst auf die Übungsaufgabe auf Seite 139.**

CD 1, 32

Mündlicher Ausdruck, Aufgabe 5

Bei der fünften Aufgabe zum Mündlichen Ausdruck sprechen Sie mit einem Freund oder einer Freundin über ein Problem aus dem studentischen Alltag. Ihr Gesprächspartner muss sich zwischen zwei Alternativen entscheiden. Sie sollen die Vor- und Nachteile der Alternativen gegeneinander abwägen. Anschließend sollen Sie einen Rat geben.

Mündlicher Ausdruck, Aufgabe 5

Ihre Freundin Claudia bereitet sich auf ihr Examen in Journalistik vor. In vier Wochen hat sie Prüfung und noch viel zu tun. Völlig unerwartet erhält sie das Angebot, in der Zeit vor der Prüfung einen Monat lang als Krankheitsvertretung bei einer großen Wochenzeitschrift zu arbeiten. Claudia fragt Sie, ob sie bei der Zeitschrift mitarbeiten oder sich lieber auf ihre Prüfung konzentrieren soll.

Sagen Sie Claudia, wozu Sie ihr raten:
– Wägen Sie dabei Vorteile und Nachteile ab.
– Begründen Sie Ihre Meinung.

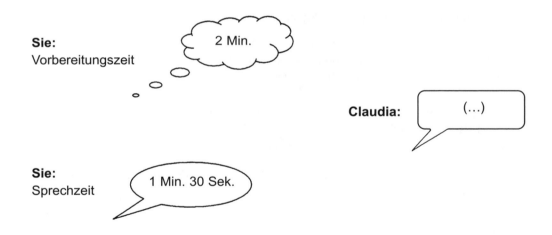

Ü1 **Markieren Sie in der Aufgabenstellung die Situation, das Problem und die Sprechaufgabe.**

> Ihre Freundin Claudia bereitet sich auf ihr Examen in Journalistik vor. In vier Wochen hat sie Prüfung und noch viel zu tun. Völlig unerwartet erhält sie das Angebot, in der Zeit vor der Prüfung einen Monat lang als Krankheitsvertretung bei einer großen Wochenzeitschrift zu arbeiten. Claudia fragt Sie, ob sie bei der Zeitschrift mitarbeiten oder sich lieber auf ihre Prüfung konzentrieren soll.
>
> **Sagen Sie Claudia, wozu Sie ihr raten:**
> **– Wägen Sie dabei Vorteile und Nachteile ab.**
> **– Begründen Sie Ihre Meinung.**

Aufgabenstellung

Sie sprechen mit einer Freundin. Also sagen Sie „du". Sie können Ihre Gesprächspartnerin mit Vornamen ansprechen. Ihre Rolle ist die eines Ratgebers in einer schwierigen Situation, die das Studium betrifft. Die Entscheidung ist relativ schwierig, weil es für beide Möglichkeiten viele Argumente gibt. Deshalb bietet es sich an, erst die Argumente gegeneinander abzuwägen und dann Ihre Meinung zu sagen. Sie können Ihre eigene Meinung aber auch an den Anfang Ihrer Antwort stellen.

 Ü2 **Ergänzen Sie die folgenden Sätze.**

Allerdings • Beides • am besten • glaube • einfach • Lass • muss • Meiner Meinung • nachdenken • Nachteile • schwierige • spontan • überlegen • welche • Wichtigste • wozu • würde • sollten

1 Hm, Claudia, da _____ (1) ich auch kurz _____ (2).
Das ist gar nicht so _____ (3). Beide Möglichkeiten haben
Vor- und _____ (4).

2 Also, das ist wirklich eine _____ (5) Entscheidung. _____ (6)
uns kurz überlegen, _____ (7) Vor- und Nachteile die beiden
Möglichkeiten haben.

3 So _____ (8) weiß ich jetzt auch nicht, _____ (9)
ich dir raten soll. _____ (10) hat Vor- und Nachteile.

4 Tja. Ich _____ (11), da musst du langfristig planen. Wir
_____ (12) mal darüber _____ (13), was für die
Zukunft _____ (14) für dich ist.

5 Also ich _____ (15) mich ganz auf die Prüfung konzentrieren.
Das ist jetzt erst mal das _____ (16). Natürlich hat auch die
Arbeit bei der Zeitschrift Vorteile, z. B. …

6 _____ (17) nach solltest du auf jeden Fall die Vertretung bei der
Wochenzeitschrift annehmen. So eine Chance bekommst du so schnell nicht
wieder. _____ (18) hat das auch ein paar Nachteile …

Ü 3 Notieren Sie in Stichworten, was für und gegen die Arbeit bei der Wochenzeitschrift spricht.

pro   *contra*

_____   _____

_____   _____

_____   _____

_____   _____

_____   _____

Argumentieren

Bei der Gegenüberstellung von Argumenten können Sie zwei Methoden verwenden:
Entweder Sie nennen erst ein Argument für ein Thema und stellen diesem dann sofort ein Gegenargument gegenüber.

Oder Sie nennen zuerst alle Argumente, die für eine Alternative sprechen und nennen dann alle Argumente, die dagegen sprechen. Wenn Sie mehrere Argumente für eine Alternative miteinander verbinden möchten, müssen Sie die Redemittel der Aufzählung verwenden.

 Ü 4 Vervollständigen Sie die folgenden Sätze mit Argumenten aus Ü 3.

A *Argumentation für die Arbeit bei der Wochenzeitschrift*

Für die Arbeit bei der Wochenzeitschrift spricht in erster Linie, dass _____

_____

Außerdem _____

Ein weiteres wichtiges Argument dafür ist, dass _____

_____

Schließlich ist auch vorteilhaft, dass _____

_____

Und du verbesserst nicht nur deine Berufschancen allgemein, sondern _____

_____

B *Argumentation gegen die Arbeit bei der Wochenzeitschrift*

Ein Nachteil, wenn du jetzt arbeitest, ist natürlich, dass _____

_____

Hinzu kommt, dass du durch die Arbeit _____

_____

Gegen das Arbeiten zum jetzigen Zeitpunkt spricht auch, dass _____

_____

Nicht vergessen solltest du auch, dass _____

_____

Das letzte und wichtigste Gegenargument ist, dass du _____

_____

Erläutern Sie beim Sprechen die einzelnen Argumente.
Begründen Sie, was Sie sagen, und belegen Sie es eventuell mit Beispielen.

Welches Wort passt?

Für die Arbeit bei der Wochenzeitschrift spricht in erster Linie, dass du Erfahrungen sammeln kannst. Das hilft dir später *nicht nur / sowohl / zwar* beruflich als auch privat, *nachdem / obwohl / weil* du mehr Selbstvertrauen bekommst und lernst, *was / wie / wo* man sich im Beruf verhalten muss. Außerdem kannst du Geld verdienen. *Da / Trotzdem / Und* das braucht man ja immer als Student.

Einen Ratschlag geben

Nachdem Sie die Vor- und Nachteile dargestellt haben, sollen Sie Ihre eigene Meinung zu dem Thema sagen und einen Ratschlag geben.

Geben Sie Ratschläge. Bilden Sie aus den Satzhälften grammatisch korrekte Sätze.

Beispiel: Es wäre besser, an das Examen zu denken.

– Es wäre besser,	– an das Examen denken
– Mir scheint es am besten, wenn	– sich auf die Prüfung konzentrieren
– Es lohnt sich,	– zuerst einen genauen Zeitplan machen
– Ich würde dir raten	– sich nicht zu viel auf einmal vornehmen
– Wenn ich du wäre, würde ich	– mit dem Professor sprechen
– Es wäre gut,	– mit dem Personalchef der Wochenzeitschrift sprechen
– Also, ich würde dir empfehlen	– den Job auf jeden Fall machen
– Ich rate dir	– fragen, ob man Teilzeit arbeiten kann
– Du solltest	– sich diese Arbeit nicht entgehen lassen

Beantworten Sie nun selbst die Übungsaufgabe auf S. 145.

CD 1, 33

Mündlicher Ausdruck, Aufgabe 6

Bei der sechsten Aufgabe zum Mündlichen Ausdruck sollen Sie in einem Fachseminar an der Universität, z.B. in einem Geografie- oder Literaturseminar, einen kurzen Redebeitrag zu einem wissenschaftlichen Thema formulieren. Sie sollen auf der Grundlage einer Grafik Hypothesen bilden: Zum einen über mögliche Gründe der dargestellten Entwicklung, zum anderen darüber, wie die Entwicklung weiter verlaufen könnte. Ihre Zuhörer sind Studenten, die an dem Seminar teilnehmen, und Ihr Dozent.

Mündlicher Ausdruck, Aufgabe 6

In Ihrem Soziologieseminar geht es heute um das Thema „Familiensoziologie". Ihr Dozent, Herr Dr. Schedel, verteilt eine Grafik mit dem Titel „Berufstätigkeit und Zahl der Kinder westdeutscher Frauen". Er bittet Sie, anhand der Grafik Gründe und Entwicklungen der Berufstätigkeit und der Kinderzahl von Frauen in Deutschland vorzutragen.

Nennen Sie Gründe für die Unterschiede zwischen den Altersgruppen.
Stellen Sie dar, welche Tendenzen Sie für die Zukunft erwarten.
Verwenden Sie dabei Informationen der Grafik.

Frauen in Deutschland: Lieber Arbeit als Kinder
Die westdeutschen Frauen ...

der Geburts-jahrgänge	waren/sind zu so viel Prozent erwerbstätig	hatten/haben im Schnitt so viele Kinder
1931 bis 1935	45	2,2
1941 bis 1945	53	1,8
1951 bis 1955	65	1,6
1961 bis 1965	72	1,5

Erwerbstätige: betrachtet wurden jeweils die 30- bis 39-jährigen Frauen der Geburtsjahrgänge; Kinder: Completed Fertility Rate; Ursprungsdaten: Engstler/Menning 2003, Europarat
Institut der deutschen Wirtschaft Köln

© 29/2003 Deutscher Instituts-Verlag

Nach: *Deutscher Instituts-Verlag 2003*

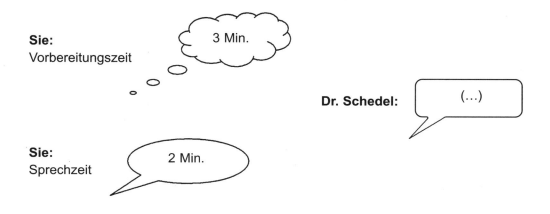

Sie: Vorbereitungszeit — 3 Min.

Dr. Schedel: (...)

Sie: Sprechzeit — 2 Min.

Ü1 **Markieren Sie in der Aufgabenstellung die <u>Situation</u>, das <u>Thema</u> und die <u>Sprechaufgabe</u>.**

> In Ihrem Soziologieseminar geht es heute um das Thema „Familiensoziologie". Ihr Dozent, Herr Dr. Schedel, verteilt eine Grafik mit dem Titel „Berufstätigkeit und Zahl der Kinder westdeutscher Frauen". Er bittet Sie, anhand der Grafik Gründe und Entwicklungen der Berufstätigkeit und der Kinderzahl von Frauen in Deutschland vorzutragen.
>
> **Nennen Sie die Gründe für die Unterschiede zwischen den Altersgruppen. Stellen Sie dar, welche Tendenzen Sie für die Zukunft erwarten. Verwenden Sie dabei Informationen der Grafik.**

 Ü2 **Überlegen Sie:**

1 Wie ist Ihr Verhältnis zu den Zuhörern? _____

2 Was ist Ihre Rolle? _____

3 Wie sprechen Sie Ihre Zuhörer an? _____

4 Was sollen Sie tun?
   a) _____
   b) _____
   c) _____

Die Grafik in dieser Übungsaufgabe ist etwas komplexer als die Aufgaben der TestDaf-Prüfung. Trainieren Sie mit dieser Übungsgrafik, wichtige Informationen in grafischen Darstellungen zu finden.

 Ü3 **Markieren Sie die wichtigen Informationen der Grafik und notieren Sie Informationen zu den folgenden Stichworten.**

1 Thema der Grafik: _____

2 Quelle der Grafik: _____

3 Erscheinungsjahr: _____

4 Alter der Frauen bei Erscheinen der Grafik: _____

5 Alter der erwerbstätigen Frauen zum Zeitpunkt der Befragung: _____

6 Entwicklung des Anteils der berufstätigen Frauen: _____
_____

7 Entwicklung der Kinderzahl: _____
_____

Die Übungsgrafik stellt die Situation der Frauen in Westdeutschland dar, da wegen der Teilung Deutschlands keine vollständigen Daten für das Gebiet der heutigen Bundesrepublik vorliegen.

Sie sollen Gründe für die Unterschiede und Entwicklungen nennen, die in der Grafik dargestellt werden. Dabei sollen Sie Informationen aus der Grafik verwenden. Für Ihre Antwort sind nicht alle Informationen aus Übung 3 wichtig. Entscheiden Sie, welche Informationen Sie in Ihrer Antwort geben möchten. Fassen Sie am Anfang nur die Hauptinformationen der Grafik in ein oder zwei Sätzen zusammen.

CD **1**, 34

Ü4 **Ergänzen Sie die Lücken in den Einleitungstexten mit folgenden Wörtern.**

abgenommen • angestiegen • stellt dar • entnehmen • geht hervor •
größeren Wert • immer mehr • immer weniger • Denn • verändert •
vorzuziehen scheinen • während • zeigt • zurückgegangen

(...)

Dr. Schedel

1 Die Rolle der Frauen hat sich in diesem Zeitraum stark _____.
Die vorliegende Grafik _____ deutlich, dass _____
Frauen in Deutschland berufstätig waren. Zugleich haben die Frauen durch-
schnittlich _____ Kinder zur Welt gebracht.

2 Die Grafik _____, wie sich die Rolle der Frau seit 1961 verändert
hat. _____ der Anteil der berufstätigen Frauen ist deutlich
_____ und zugleich ist die durchschnittliche Zahl der Kinder
pro Frau _____.

3 Aus der vorliegenden Grafik _____, dass immer mehr Frauen die
Berufstätigkeit der Kindererziehung _____. Denn
der Anteil der Berufstätigen ist kontinuierlich gewachsen, _____ die
durchschnittliche Zahl der Kinder gesunken ist.

4 Den Daten der Grafik kann man _____, dass Frauen in Deutschland heute _____ auf eine Berufstätigkeit legen als früher.
Zugleich hat die durchschnittliche Zahl der Kinder pro Frau _____.

Vergleichen Sie die unterschiedlichen Entwicklungen, bevor Sie die möglichen
Ursachen für die Veränderungen aufzählen.

Ü5 **Vergleichen Sie. Wählen Sie die passende Formulierung.**
Achten Sie auf die Satzstellung.

1 Verglichen / Wenn man die Frauen der Jahrgänge 1931–35 mit den Frauen
der Jahrgänge 1961–1965 vergleicht, sieht man, dass sich der Anteil der
Berufstätigen fast verdoppelt hat, verglichen / während die Zahl der Kinder
deutlich zurückgegangen ist.

2 Der Anteil der berufstätigen Frauen hat in den letzten 40 Jahren in Deutschland deutlich zugenommen. Demgegenüber / Während hat die Zahl der Kinder
drastisch abgenommen.

3 Verglichen / Wenn man vergleicht mit den Frauen, die 1931–1935 geboren
wurden, waren von den Frauen des Jahrgangs 1961–1965 fast doppelt so viele
Frauen berufstätig.

4 Verglichen / Im Vergleich zu den Frauen, die 1931–1935 geboren wurden,
haben die jungen Frauen, die 1961–1965 zur Welt kamen, deutlich weniger
Kinder.

5 Demgegenüber / Während in den 60er Jahren noch nicht einmal jede zweite
Frau arbeitete, waren im Jahr 2003 fast zwei Drittel der Frauen berufstätig.

Gründe nennen – Vermutungen aufstellen

Sie sollen Gründe für die in der Grafik dargestellte Situation nennen. Notieren Sie zunächst alle Gründe, die Ihnen einfallen. Bei dieser Aufgabe müssen Sie keine Sachkenntnisse zeigen. Es ist also nicht notwendig, dass Sie die Situation in Deutschland genau kennen. Sie sollen Vermutungen anstellen. Wichtig ist, dass Sie sprachlich deutlich machen, dass Sie nicht wissen, wie es ist, sondern nur Hypothesen aufstellen.

Warum waren vermutlich im Jahr 2003 mehr Frauen in Deutschland berufstätig als im Jahr 1961?

Welche Gründe könnte es haben, dass Frauen im Durchschnitt weniger Kinder als früher haben?

Ordnen Sie die folgenden Gründe.

~~lange Ausbildungszeiten~~ • bessere Ausbildung • Kinder sind teuer • zu wenig Kinderkrippen und Kindergärten • ~~Emanzipation der Frauen~~ • Geld verdienen • Kinder und Karriere gleichzeitig nicht möglich • interessante Berufe • selbstständig sein • Verwandte weit entfernt

mehr berufstätige Frauen, weil	weniger Kinder, weil
Emanzipation der Frauen	lange Ausbildungszeiten

Formulieren Sie Vermutungen mit den Gründen aus Ü 6. Verwenden Sie die folgenden Redemittel.

– Vermutlich …
– Vielleicht …
– Möglicherweise …
– Es ist möglich, dass …
– Es könnte auch sein, dass …
– Es dürfte auch eine Rolle spielen, dass …
– Ein weiterer Grund könnte sein, dass …
– … muss die Entwicklung stark beeinflusst haben.
– Eine Ursache für diese Entwicklung wird wohl sein, dass …

Beispiele:

– Warum sind heute mehr Frauen berufstätig als vor 40 Jahren?
  Die Emanzipation der Frauen muss diese Entwicklung stark beeinflusst haben.

– Warum haben Frauen heute weniger Kinder als vor 40 Jahren?
  Es könnte sein, dass die langen Ausbildungszeiten eine Ursache dafür sind, dass die Frauen weniger Kinder haben.

Zukünftige Tendenzen

Sie sollen beschreiben, welche Tendenzen Sie für die Zukunft erwarten. Auch hierzu sollen Sie Informationen der Grafik verwenden. Sehen Sie noch einmal die Grafik an und überlegen Sie:
– Gibt es eine einheitliche Tendenz in der Entwicklung?
– Hat sich in dem auf der Grafik dargestellten Zeitraum etwas verändert?

Ü 8 **Notieren Sie in Stichworten, was Sie über die zukünftige Entwicklung sagen möchten.**

a) Berufstätigkeit von Frauen
   Prognose _____
   Begründung / Daten aus der Grafik _____
   _____

b) durchschnittliche Kinderzahl
   Prognose _____
   Begründung / Daten aus der Grafik _____
   _____

Zusammenfassung

_____

Ü 9 **Schreiben Sie einen kurzen Übungstext, in dem Sie auf der Grundlage der Grafik die zukünftige Entwicklung beschreiben. Verwenden Sie einige der folgenden Redemittel.**

Prognose über die Entwicklung der Berufstätigkeit und der Kinderzahl
– Aufgrund der Daten kann man davon ausgehen, dass …
– Die Grafik legt nahe, dass in Zukunft …
– Angesichts der Entwicklung bis zum Jahr 2003 ist anzunehmen, dass …
– Wenn man die Daten der Grafik betrachtet, ist zu vermuten, dass …

Begründung
– Denn …
– Ich glaube das, weil …
– Aufgrund … halte ich das für wahrscheinlich.
– Meine Prognose basiert auf folgenden Zahlen: …
– Betrachtet man die Grafik, wird nämlich deutlich, dass …

Schluss
– Es ist daher möglich, dass …
– Insgesamt halte ich es daher für sehr wahrscheinlich, dass …

Ü 10 **Beantworten Sie die vollständige Übungsaufgabe auf S. 149 selbst.**

CD 1, 35

Mündlicher Ausdruck, Aufgabe 7

Bei der siebten Aufgabe zum Mündlichen Ausdruck sprechen Sie in Ihrer Freizeit mit einem Freund oder einer Freundin. Diese Person hat ein persönliches Problem. Sie sollen Ihre Meinung dazu sagen und begründen. Außerdem sollen Sie sagen, wie Sie sich in dieser Situation entscheiden würden.

Mündlicher Ausdruck, Aufgabe 7

Sie sitzen mit Carolina, Ihrer portugiesischen Studienfreundin, in der Mensa. Carolina überlegt, über welches Thema sie in ihrem Sprachkurs einen Vortrag halten soll. Sie kennt sich sowohl mit der wirtschaftlichen Lage als auch mit der Literatur ihres Heimatlandes gut aus und kann über beide Themen berichten. Carolina fragt Sie nach Ihrer Meinung.

Sagen Sie, worüber Sie an Carolinas Stelle berichten würden.
Begründen Sie Ihre Meinung.

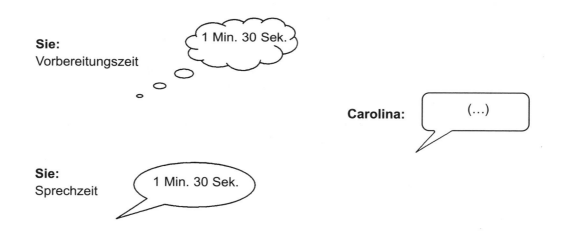

Ü1 **Markieren Sie zuerst in der Aufgabenstellung die wichtigen Informationen zur <u>Situation</u>, zum <u>Thema</u> und zur <u>Sprechaufgabe</u>.**

> Sie sitzen mit Carolina, Ihrer portugiesischen Studienfreundin, in der Mensa. Carolina überlegt, über welches Thema sie in ihrem Sprachkurs einen Vortrag halten soll. Sie kennt sich gut mit der wirtschaftlichen Lage und mit der Literatur ihres Heimatlandes aus und kann über beide Themen berichten. Carolina fragt Sie nach Ihrer Meinung.
>
> **Sagen Sie, worüber Sie an Carolinas Stelle berichten würden. Begründen Sie Ihre Meinung.**

Die Aufgabenstellung

Sie unterhalten sich mit einer Ihnen vertrauten Person. Es handelt sich also um eine informelle Situation. Deshalb sagen Sie „du" und können auch umgangssprachliche Wendungen benutzen. Sie sprechen über ein persönliches Problem und können auch persönliche Argumente anführen. Sie werden direkt von einer Person angesprochen. Sie können sich bei Ihrer Antwort deshalb auch direkt an diese Person wenden.

 Ü2 **Welche Redemittel passen?**

1 _____ ich selbst liebe Literatur und würde gerne etwas über die Literatur in Portugal erfahren.

A   Ach, wissen Sie Carolina,
B   Ach, weißt du Carolina,
C   Hallo, Carolina,

2 _____ ich persönlich interessiere mich sehr für wirtschaftliche Fragen.

A   Na ja, Carolina,
B   Sicherlich, Carolina,
C   Deshalb, Carolina,

3 _____ fällt es mir selbst schwer, mich da zu entscheiden. Ich finde beide Themen sehr interessant.

A   Ach, Carolina, eigentlich
B   Ach, Carolina, wirklich
C   Wirklich

Was würden Sie tun?

Ihre Freundin fragt Sie, was Sie an Ihrer Stelle tun würden. Sie sind nicht an Ihrer Stelle. Es ist nur ein Gedankenspiel. In der gesprochenen Sprache verwendet man im Deutschen meistens *„würde +* *Infinitiv"*, um zu zeigen, dass das Gesagte nicht in der Wirklichkeit passiert. Diese Formulierung zeigt, dass etwas so sein könnte, aber nicht ist. Nur bei wenigen Verben verwendet man beim Sprechen die Formen des Konjunktiv II (z.B. wüsste, ginge, käme, ließe, dürfte, könnte, müsste, wollte, hätte, wäre).

Ü3   **Was würden Sie an der Stelle Ihrer Freundin tun?**
Ergänzen Sie die Sätze mit den folgenden Formulierungen.

nicht lange überlegen ●
sofort wissen, was man möchte ●
sich nur schwer entscheiden können ●
nicht lange nachdenken müssen ●
über die wirtschaftliche Lage Portugals berichten ●
etwas über die portugiesische Literatur erzählen ●
sich für das Thema „Literatur Portugals" entscheiden

– In dieser Situation
– An deiner Stelle
– Also ich
– Könnte ich wählen, so
– Wenn ich zwischen diesen Möglichkeiten wählen könnte,
– Wenn ich an deiner Stelle wäre,
– Wenn ich du wäre,

Beispiel: In dieser Situation würde ich nicht lange überlegen.

Gründe notieren

Sie sollen Ihre Meinung sagen und diese begründen. Entscheiden Sie in der Prüfung möglichst schnell, wofür Sie sich entscheiden würden, und sammeln Sie dann in der Vorbereitungszeit Gründe für Ihre Entscheidung. Sie müssen sich nicht unbedingt für eine der beiden Möglichkeiten entscheiden. Sie können auch beide Alternativen ablehnen, wenn Sie dies ausreichend begründen können.

Ü4   **Notieren Sie in Stichworten, warum Sie in dem Sprachkurs über die**
wirtschaftliche Lage Portugals referieren würden.

_____
_____
_____
_____
_____

Die Begründung

Sie können Vor- und Nachteile der einzelnen Alternativen nennen. In der Aufgabenstellung ist das jedoch nicht verlangt. Es genügt, wenn Sie die Argumente, die für Ihre Entscheidung sprechen, aufzählen. Sie müssen diese aber logisch aufbauen und verständlich begründen können.

Ü 5   **Was passt? Achten Sie auf die Wortstellung.**

1   Ich würde über die wirtschaftliche Lage Portugals berichten, *denn/deshalb/ weil* ich mich persönlich sehr für wirtschaftliche Themen interessiere.

2   Ich bevorzuge das Thema „portugiesische Literatur", *da/denn/deswegen* ich finde, dass man durch die Literatur viel über ein Land lernen kann.

3   Ich möchte später Wirtschaft studieren, *darum/wegen/weil* ist für mich das Thema „Die wirtschaftliche Lage Portugals" viel interessanter.

4   *Denn/Wegen/Deshalb* der kulturellen Unterschiede im Kurs finde ich das Thema „Die Literatur Portugals" besonders interessant, *da/denn/weil* die Sprachkursteilnehmer kommen aus vielen verschiedenen Ländern und Literatur zeigt, wie unterschiedlich die Kulturen sind.

Aufbau der Antwort

Überlegen Sie sich, in welcher Reihenfolge Sie ihre Gründe nennen möchten, und nummerieren Sie Ihre Stichworte in Ü 4 entsprechend. Formulieren Sie dann aus den Stichworten einen Text. In der Prüfung sollten Sie Ihre Antwort aber nicht vollständig vorschreiben, sondern nur in Gedanken vor sich hin sprechen. Dabei können Sie eventuell besonders schöne Formulierungen neben einzelnen Stichworten notieren.

Ü 6   **Schreiben Sie nun einen kurzen Übungstext mit den Argumenten aus Ü 4. Fügen Sie Ihren Argumenten Erklärungen und Beispiele hinzu. Verwenden Sie die folgenden Redemittel.**

– Ich würde mich für das Thema „wirtschaftliche Lage Portugals" entscheiden, weil …
– Außerdem …
– Ein weiterer Grund ist auch, dass …
– Hinzu kommt, dass …
– Deshalb …

Ü 7   **Lösen Sie die Übungsaufgabe auf S. 154 selbst. Begründen Sie diesmal, warum Sie das Thema „Literatur Portugals" wählen würden.**

CD 1, 36

Tipps zur Bearbeitung der Aufgaben zum Mündlichen Ausdruck

Hier ist noch einmal zusammengefasst, worauf Sie in der Prüfung achten sollten.

In der Vorbereitungszeit

– ganz auf die Aufgabe konzentrieren

– während die Aufgabenstellung vorgelesen wird, Informationen zum Gesprächspartner, der Situation und den Sprechaufgaben im Aufgabenheft markieren

– überlegen Sie sich dann:
  • Gibt es einen oder mehrere Gesprächspartner?
  • Wie ist Ihre Beziehung zu dem Gesprächspartner?
  • Ist die Situation formell oder informell?
  • Worüber sollen Sie sprechen?
  • Sollen Sie etwas beschreiben, einen Rat geben …?

– sich den Gesprächspartner möglichst konkret vorstellen

– Stichworte für die Antwort sammeln

– Stichworte ordnen

– kontrollieren, ob Stichworte vollständig sind

– eventuell Gliederung der Antwort in Stichworten

– keine vollständigen Sätze notieren

– Antwort in Gedanken formulieren

Aufnahme der Antwort

– sich den Gesprächspartner konkret vorstellen

– auf den Redestimulus achten

– Anfang der Antwort an Redestimulus anpassen

– möglichst natürlich, ruhig und deutlich sprechen

– Denkpausen überbrücken

– Fehler, die Sie bemerken, ruhig korrigieren

– Punkte, zu denen Sie schon etwas gesagt haben, auf dem Notizzettel durchstreichen

– ruhig bleiben, wenn Sie zu früh fertig sind

– kontrollieren, ob Sie zu allen Punkten der Aufgabenstellung etwas gesagt haben

– ruhig bleiben, falls sie nicht alles sagen konnten, was sie vorbereitet hatten

– bevor die nächste Aufgabe kommt: Augen schließen, tief durchatmen

Modelltest

Allgemeine Informationen zum Modelltest

Der Modelltest entspricht in der Textlänge, der Itemzahl und den Zeitvorgaben
den Originalaufgaben der TestDaF-Prüfung.
Nachdem Sie die Übungsaufgaben zu allen Prüfungsteilen gelöst haben, können
Sie mit dem Modelltest die Prüfungssituation simulieren. Sie sollten die Aufgaben
des Modelltests möglichst unter denselben Bedingungen lösen wie in der richtigen
Prüfung. Das heißt:

- Arbeiten Sie ohne Hilfsmittel (z. B. Wörterbücher).
- Lösen Sie zuerst die Aufgaben zum Leseverstehen und zum Hörverstehen.
- Halten Sie sich an die Zeitangaben für die einzelnen Prüfungsteile.
- Machen Sie nach dem Hörverstehen eine Stunde Pause.
- Bearbeiten Sie dann die Prüfungsteile Schriftlicher Ausdruck und Mündlicher
  Ausdruck.
- Unterbrechen Sie die CD zum Hörverstehen und zum Mündlichen Ausdruck nicht.
- Nehmen Sie Ihre Antworten zum Mündlichen Ausdruck auf einen Kassetten-
  rekorder auf.
- Kontrollieren Sie Ihre Lösungen erst, nachdem Sie alle Prüfungsteile gelöst haben.

Ihre Ergebnisse beim Modelltest helfen Ihnen, Ihre Chancen für die Prüfung
einzuschätzen. Aus testmethodischen Gründen ist es jedoch nicht möglich,
die Ergebnisse des Modelltests den Niveaustufen von TestDaF direkt zuzuordnen.

Einführung	ca. 3 Min.

Bitte lesen Sie diese Informationen zur Prüfung TestDaF! Dieser Teil gehört nicht zur Prüfung.

Lieber Teilnehmerin, lieber Teilnehmer,

Sie haben sich entschieden, TestDaF abzulegen. Ziel dieser Prüfung ist es, Ihren sprachlichen Leistungsstand für ein Studium an einer Hochschule in Deutschland einzustufen.

Die Prüfung besteht aus vier Teilen:

1. Leseverstehen   Sie bearbeiten 3 Lesetexte mit 30 Aufgaben
                              Bearbeitungszeit: 60 Minuten (inkl. 10 Minuten Übertragungszeit)

2. Hörverstehen   Sie bearbeiten 3 Hörtexte mit 25 Aufgaben.
                              Bearbeitungszeit: 40 Minuten (inkl. 10 Minuten Übertragungszeit)

3. Schriftlicher Ausdruck Sie schreiben einen Text zu einem bestimmten Thema.
                              Bearbeitungszeit: 60 Minuten

4. Mündlicher Ausdruck   Sie bearbeiten 7 Aufgaben, d. h. Sie sprechen in 7 verschiedenen
                              Situationen. Bearbeitungszeit: 30 Minuten

Bitte verwenden Sie bei der Bearbeitung der Aufgaben einen schwarzen Kugelschreiber bzw. schwarze Tinte.
Am Ende der Prüfungsteile Leseverstehen und Hörverstehen erhalten Sie jeweils ein Antwortblatt. Auf dieses Antwortblatt müssen Sie Ihre Lösungen übertragen. Nur Lösungen auf den Antwortblättern werden gewertet.
Bleiben Sie nicht zu lange bei einer Aufgabe, die Sie nicht lösen können.

Wir wünschen Ihnen viel Erfolg!

Leseverstehen

Zeit: 60 Minuten
Inklusive 10 Minuten für die Übertragung der Lösungen

Anleitung

Zum Prüfungsteil Leseverstehen erhalten Sie ein **Antwortblatt**.

Am Ende des Prüfungsteils haben Sie 10 Minuten Zeit um Ihre **Lösungen auf das Antwortblatt zu übertragen**.

Nur Lösungen auf dem Antwortblatt werden gewertet.

Lesetext 1: Aufgaben 1–10

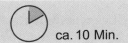 ca. 10 Min.

Sie suchen eine Arbeitsmöglichkeit für einige Bekannte:

Schreiben Sie den Buchstaben für die passende Arbeitsmöglichkeit in das Kästchen rechts.
Jede Arbeitsmöglichkeit kann nur einmal gewählt werden. Es gibt nicht für jede Person eine geeignete
Arbeitsmöglichkeit. Gibt es für eine Person keine passende Arbeitsmöglichkeit, schreiben Sie den
Buchstaben *I*. Die Arbeitsmöglichkeit im Beispiel kann nicht mehr gewählt werden.

Sie suchen eine Arbeitsmöglichkeit für …

(01)	**Beispiel:** … eine Freundin, die im sozialen Bereich arbeiten möchte.	*G*
(02)	**Beispiel:** … einen Freund, der in den USA ein Praktikum machen möchte.	*I*
1	… einen Freund, der ein sechsmonatiges Praktikum im Bereich Grafik machen möchte.	
2	… eine Freundin, die Arbeitserfahrung in einem anderen Land sammeln möchte.	
3	… eine Grafikdesign-Studentin, die in den Ferien im Bereich Grafik arbeiten möchte.	
4	… einen Informatik-Studenten, der im Bereich Online-Publikation arbeiten möchte.	
5	… eine Informatik-Studentin, die an zwei Tagen in einem Restaurant jobben möchte.	
6	… einen Lehramts-Studenten, der intensiv mit Schülern arbeiten möchte.	
7	… einen Medizin-Studenten, der einen Job sucht, bei dem er sein Englisch verbessern kann.	
8	… eine Psychologie-Studentin, die ihr Fachwissen zum Thema Sexualität erweitern möchte.	
9	… eine Wirtschafts-Studentin, die mehr über Marketing erfahren möchte.	
10	… einen Wirtschafts-Studenten, der ein Praktikum im Ausland machen möchte.	

A Student Scout für unser Produkt

Als unser Student Scout nimmst du an einem „Lernprogramm" teil und kannst nebenbei auch noch mit ein paar Euro deinen Geldbeutel füllen! Möchtest du eine „globale Marke" mal ganz aus der Nähe erleben? Als Student Scout bist du unser Red-Bull-„Botschafter" an deiner Universität. Neben deinem Studium bekommst du die Möglichkeit in einem jungen und dynamischen Unternehmen wichtige Berufserfahrungen zu sammeln!

B Studentische Hilfskraft

Wir suchen ab sofort einen Studenten oder eine Studentin, der/die uns bei allen anfallenden Arbeiten unterstützt (z. B. Kopieren, Sortieren und Binden von Material, Botengänge, Einkäufe und vieles mehr). Da wir ein amerikanisches Unternehmen sind und unser Team entsprechend besetzt ist, werden Englischkenntnisse vorausgesetzt.

Wir erwarten von Ihnen: Ein freundliches Wesen, Engagement, Kommunikationsfähigkeit und Teamfähigkeit.

C Bedienungspersonal

Wir bieten exklusive Gastronomie – und das in der ganzen Welt – 365 Tage im Jahr sind wir für unsere Kunden im Einsatz, egal wo und wann diese uns brauchen. Bei den verschiedensten Anlässen bieten wir exklusives Essen und Trinken. Wenn Sie gerne Umgang mit interessanten Leuten haben, in einem jungen Team arbeiten möchten, zeitlich flexibel sind und gerne auch länger im Ausland arbeiten möchten, dann sind Sie bei uns richtig!

D Nachhilfelehrer

Der Studienkreis ist eine der größten privaten Schulen Europas. Vor allem arbeiten wir im Bereich des schulbegleitenden Unterrichts, des Förderunterrichts und der Abiturvorbereitung. Wir bieten Nachhilfeunterricht hauptsächlich für die Fächer Deutsch, Mathematik und Englisch sowie auch Französisch, Latein, Physik, Chemie, Biologie.

Wir suchen Nachhilfelehrer mit Fachkenntnissen in den gängigen Schulfächern und mit pädagogischem Geschick im Umgang mit Schülern.

E Ausstellungsbegleiter/in

Die Ausstellung LiebesLeben ist eine Wanderausstellung der Bundeszentrale für gesundheitliche Aufklärung zu den Themen Liebe, Lust, Aids, Verhütung, Vertrauen und Solidarität. Sie ist täglich von 9.00–22.00 Uhr geöffnet. Als Ausstellungsbegleiter/in ist Ihre Aufgabe die Betreuung von Besuchergruppen der Ausstellung.

Die Bewerber/innen müssen bereit sein, eine dreitägige Intensivschulung erfolgreich zu absolvieren.

F Internetgestalter

Sie sollten Spaß daran haben, eine technisch anspruchsvolle Web-Seite zu gestalten. Wir brauchen eine benutzerfreundliche Webseite. Ihre Aufgabe ist es, unsere Vorgaben technisch umzusetzen. Sie arbeiten weitgehend selbstständig und können einen Teil der Arbeit auch zu Hause erledigen, falls Sie einen entsprechenden PC haben. Die Webseite sollten Sie in maximal 3 Monaten fertigstellen.

G Praktikant/in

Wir bieten ein Praktikum in der Personalabteilung der Robert Bosch GmbH. Die Sozialberatung innerhalb der Personalabteilung unterstützt Mitarbeiter/innen bei Schwierigkeiten sowohl am Arbeitsplatz als auch im privaten Bereich. Ihre Aufgabe ist die Unterstützung des Beratungsteams in allen Aufgaben.

Sie möchten ein soziales Anerkennungsjahr absolvieren?

Dann freuen wir uns auf Ihre Bewerbung.

H Urlaubsvertretung / Grafik

Wir sind eine Multimedia-Firma und suchen für den Monat August eine Urlaubsvertretung für unsere Designabteilung.

Sie sollten bereits Erfahrung mit der Gestaltung von Webseiten haben.

Ihr Aufgabenbereich umfasst die Erstellung und Gestaltung von gedruckten Medien und Webseiten.

Sie sollten bereit sein, als „Springer" in unserem kleinen Spezialistenteam überall mitzuhelfen. Flexibler Einsatz

Lesetext 2: Aufgaben 11–20

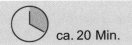

ca. 20 Min.

Spart nicht so viel!

Ökonomisch gesehen waren die alten Germanen ziemliche Dummköpfe. Sie unternahmen zwar von Zeit zu Zeit erfolgreiche Raubzüge bei den Römern, aber statt die erbeuteten Goldbecher gegen ein paar fette Wildschweine zu tauschen, bildeten sie sich ein, sie müssten für das Leben nach dem Tod vorsorgen. Die alten Germanen wussten nicht, wie Wirtschaft funktioniert.

Die neuen Germanen verstehen es auch nicht. Man sieht das an einem wenig beachteten Phänomen: Der Durchschnittsdeutsche von heute pflegt seinen Besitz – und stirbt mit einem Vermögen von 150 000 Euro. Die Deutschen verhalten sich also ganz ähnlich wie ihre Vorfahren vor 2000 Jahren. Sie arbeiten sich jahrelang ab, um einen Reichtum aufzubauen, von dem sie zum großen Teil nichts haben, weil sie ihr Geld nicht ausgeben.

Warum sind die Deutschen nur so dumm? Die schönste Antwort wäre: Sie sind nicht dumm, sondern selbstlos. Sie bauen ein Vermögen auf, weil sie sich Sorgen machen um ihre Kinder und ihnen die Zukunft sichern wollen. Der Mannheimer Wirtschaftsprofessor Axel Börsch-Supan hat vor kurzem in einer SAVE genannten Studie das Sparverhalten der Bundesbürger erforscht. Er hat dabei herausgefunden, dass die Unterstützung von Kindern und Enkeln beim Sparen keine große Rolle spielt. Als Hauptgrund für das Sparen nennen die Deutschen selbst die Altersvorsorge und den Schutz vor unvorhergesehenen Ereignissen. In Deutschland sorgt jedoch der Staat für bedürftige Bürger. Die Beiträge für Kranken-, Renten-, Pflege- und Arbeitslosenversicherung werden den Bundesbürgern direkt von ihrem Lohn abgezogen. Die Bürger jammern meist über diese hohen Abgaben an den Staat, tun aber gleichzeitig so, als ob es die staatlichen Versicherungen überhaupt nicht gäbe. Denn vom Nettoverdienst sparen die Deutschen laut SAVE-Studie noch einmal knapp 15 Prozent. Weit mehr als die meisten anderen Nationen. Geht der durchschnittliche Deutsche in den Ruhestand, hat er ein Vermögen, von dem allein er zehn Jahre bequem leben könnte. Dabei bekommt er auch noch eine staatliche Rente.

Ein rational denkender Pensionär würde sein Vermögen wenigstens in den letzten Lebensjahren möglichst vollständig ausgeben. Die Deutschen tun das nicht. Sie sparen auch als Rentner. Sieben von zehn Rentnern bauen ihr Vermögen nicht ab, sondern vergrößern es weiter während der Rentenzeit. Weil es aber kaum einen 80-Jährigen gibt, der ernsthaft Geld spart, um für sein Alter vorzusorgen, muss es noch einen anderen Grund geben, warum gespart wird. Wahrscheinlich sparen die Deutschen, weil sie nicht konsumieren wollen.

Der private Verbrauch sinkt in Deutschland seit Monaten; dabei war er in den vergangenen Jahrzehnten noch nie besonders stark, abgesehen vom kurzen Kaufrausch nach dem Mauerfall. Edles Essen, teures Fleisch, neues Auto, neuer Anzug? Es geht auch ohne diesen Luxus. „Die Deutschen sind traditionell bescheiden, sie machen das Licht aus, wenn sie in ein anderes Zimmer gehen und stellen die Dusche ab, während sie sich einseifen", sagt der Italiener Tommaso Padoa-Schioppa, Mitglied im Direktorium der Europäischen Zentralbank.

Der Konsumstreik wäre nur konsequent und als Ausdruck demokratischer Macht zu begrüßen, wären die Deutschen ein Volk von Wachstumsgegnern und Umweltschützern, die lieber ohne Geld glücklich werden. Aber das sind sie nicht. Im Gegenteil, die Mehrheit der Bundesbürger verlangt nach einer aktiven Marktwirtschaft. In Umfragen wünschen sie sich regelmäßig mehr Wachstum und mehr Arbeitsplätze. Geld ausgeben und konsumieren sollen jedoch andere.

Der Kapitalismus aber braucht den Konsum wie der Mensch die Nahrung. Wenn alle Verbraucher weniger Geld ausgeben und mehr sparen, schwächen sie die Wirtschaft, senken die Umsätze, vernichten Arbeitsplätze und reduzieren damit ihr eigenes Einkommen. Sie sparen sich nicht reich, sondern arm.

In Deutschland gehen in diesen Wochen reihenweise Kaufhäuser und Geschäfte Pleite, und die halbe Republik beklagt, dass die Wirtschaft seit Jahren fast überall in der EU stärker wächst als hierzulande. Was den Umgang mit Geld angeht, haben die Germanen eben nichts dazugelernt.

Von Wolfgang Uchatius, DIE ZEIT 44/2002

Modelltest

Leseverstehen 2: Items 11–20

Markieren Sie die richtige Antwort (A, B oder C).

(0) Die Vorfahren der Deutschen sparten, um
A ... ab und zu ein großes gemeinsames Fest zu feiern.
B ... genug Besitz für ein sorgloses Alter anzusammeln.
☒ ... sich auf die Zeit nach ihrem Ableben vorzubereiten.

11 Die heutigen Deutschen
A ... haben aus dem Verhalten der alten Germanen gelernt.
B ... machen die gleichen Fehler wie ihre Vorfahren.
C ... verhalten sich ganz anders als ihre Vorfahren.

12 Eine wissenschaftliche Untersuchung fand heraus, dass die Deutschen
A ... nicht in erster Linie für ihre Nachkommen sparen.
B ... sparen, damit sie sich etwas Schönes leisten können.
C ... sparen, um Ihren Nachkommen finanziell zu helfen.

13 Die Deutschen beklagen sich
A ... über fehlende Rentenbeiträge.
B ... über hohe Versicherungsbeiträge.
C ... über niedrige Löhne.

14 Durchschnittlich sparen die Deutschen
A ... genauso viel wie Bürger anderer Länder.
B ... heute mehr als vor 10 Jahren.
C ... mehr als die Bürger anderer Länder.

15 Ein durchschnittlicher deutscher Rentner
A ... kauft von seinem Geld Konsumgüter.
B ... lebt im Alter von seinem Vermögen.
C ... sorgt dafür, dass sein Vermögen wächst.

16 Die Deutschen geben in letzter Zeit
A ... deutlich weniger Geld für Konsumgüter aus.
B ... genauso viel Geld aus wie vor 10 Jahren.
C ... mehr Geld für Konsumgüter aus.

17 Die heutigen Deutschen
A ... kümmern sich nicht um den Zustand der Wirtschaft.
B ... möchten aktiv an der Marktwirtschaft teilnehmen.
C ... stellen hohe Ansprüche an das Funktionieren der Wirtschaft.

18 Wenn viele Menschen sparen,
A ... können neue Arbeitsstellen finanziert werden.
B ... verdienen sie auf lange Sicht weniger Geld.
C ... wird das Wirtschaftssystem gestärkt.

19 In Deutschland beschwert man sich darüber,
A ... dass das Wirtschaftswachstum in den letzten Jahren gleich geblieben ist.
B ... dass sich die Wirtschaft in anderen Ländern besser entwickelt hat.
C ... dass es ein zu langsames Wirtschaftswachstum gibt.

20 Die deutsche Wirtschaft hat Probleme,
A ... weil der Staat so viele Schulden hat.
B ... weil es zu wenig Sparrücklagen gibt.
C ... weil zu wenig konsumiert wird.

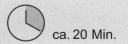

Goethe und die Wolken

Der tägliche Wetterbericht erscheint uns heute ganz selbstverständlich und lässt uns leicht vergessen, dass noch zu Beginn des 19. Jahrhunderts, zu Lebzeiten des deutschen Dichters Johann Wolfgang von Goethe, an wissenschaftliche Wetterprognosen gar nicht zu denken war. Man kannte nicht einmal die atmosphärischen* Bedingungen, die eine solche Vorhersage ermöglichen. Lediglich die Beobachtungen und das Wissen der Bauern, Schäfer und Seefahrer standen zur Verfügung.

Vor diesem Hintergrund entstand im Jahr 1803 die Wolkenklassifikation von Luke Howard. Ebenso einfach wie genial unterteilte Howard die Wolken in vier Grundformen, die er den einzelnen Höhenbereichen der Atmosphäre zuteilte. Diese Einteilung war einerseits einfach, weil die Grundtypen der Wolken durch einfache Beschreibungen erfasst wurden. Andererseits war sie genial, weil hinter dieser Einteilung das sichere Gefühl stand, dass das Aussehen der Wolken bestimmten physikalischen Gesetzmäßigkeiten folgt.

Howard nennt drei Haupttypen: die Federwolke, die Haufenwolke und die Schichtwolke. Aus Howards empirischen Beobachtungen folgt, dass diese Wolkentypen verschiedenen Höhen zugeordnet werden können. Heute wissen wir, dass der Luftdruck und die Temperatur mit der Höhe abnehmen und dass Wolken aus Wasserdampf, Eis oder einem Eis/Wasser-Gemisch bestehen.

Zur Wolkenbildung kommt es, wenn eine bestimmte Temperatur unterschritten wird. Howards Einteilung in Federwolken, Haufenwolken und Schichtwolken bezieht sich exakt darauf, dass bei Temperaturen unter -35°C eine Wolke komplett aus Eis und bei Temperaturen oberhalb von -12°C aus flüssigem Wasser besteht (aus wolkenphysikalischen Gründen gefriert Wasser in der freien Atmosphäre nicht unmittelbar bei 0°C). Howards große Leistung besteht darin, dass er diese Einteilung ohne fundiertes Wissen über die Struktur der Atmosphäre vornahm. Denn der Aufbau der Atmosphäre war zu dieser Zeit noch weitgehend unbekannt. Dass Druck und Temperatur mit der Höhe abnehmen, wusste man aus Messungen, die von Bergsteigern gemacht worden waren, aber der Zusammenhang von Druck, Temperatur und Feuchtigkeit – die Entstehungsursachen für Wolken – wurde erst von den Wissenschaftlern des 19. Jahrhunderts entdeckt.

Bei allen Fortschritten in der Wolkenphysik, bei aller Verfeinerung der Klassifikation der Wolken gilt Howards rein empirische Betrachtung immer noch. Auch heute kann die Vielfalt der Wolken nur beschreibend dargestellt werden; immer wieder geschieht es, dass Wissenschaftler Wolkengebilde entdecken, die sich nur schwer klassifizieren lassen.

Goethe lernte Howards Arbeiten 1815 kennen, als er Leiter der Anstalten für Kunst und Wissenschaft im Herzogtum Sachsen-Weimar war. Er gründete damals eine Wetterstation und trat 1822 mit Howard in Briefkontakt. Vergleicht man Luke Howards naturwissenschaftliche Beschreibung der einzelnen Hauptwolkentypen mit der dichterischen Beschreibung Goethes, so finden sich erstaunliche Gemeinsamkeiten bei dem englischen Naturforscher und dem deutschen Dichter. Goethe beschreibt die von Howard wissenschaftlich definierten Wolkentypen in poetischen Worten. Nicht nur in den Gedichten, sondern in seinem gesamten Werk nimmt Goethe immer wieder Wetterphänomene auf.

Als Minister des Herzogtums Sachsen-Weimar war Goethe für Kunst und Wissenschaft zuständig. Seine Theorien zum Wetter, insbesondere sein „Versuch einer Witterungslehre" erscheinen uns heute zwar seltsam, denn Goethe erklärte die wetterbestimmenden Hoch- und Tiefdruckgebiete damit, dass der Erdkörper die Atmosphäre ein- und ausatme. Dem theoretisch irrenden Goethe steht aber der Wetterpraktiker Goethe konträr gegenüber. Unter Goethes Oberaufsicht wurde eines der ersten Wetter-Beobachtungsnetze Deutschlands aufgebaut. Die dort gewonnenen Aufzeichnungen können als eine der Grundlagen der wissenschaftlichen Wetterforschung in Deutschland verstanden werden.

Vielleicht sind wir heute in Deutschland nicht mehr so wetterabhängig wie vor 250 Jahren, aber Wetter ist nach wie vor das Stück Natur, das uns tagtäglich unmittelbar berührt.

Nach: Franz Ossing, GFZ Potsdam

* Die Atmosphäre ist die Lufthülle der Erde. Die atmosphärischen Bedingungen bezeichnen die Gegebenheiten, die in dieser Lufthülle herrschen.

Leseverstehen 3: Items 21–30

Fragen zum Text: Stimmt diese Aussage ja / nein? Oder ist keine Information dazu vorhanden?
Markieren Sie die richtige Antwort!

		Ja	Nein	Text sagt dazu nichts
(01)	Seit 200 Jahren kann man das Wetter mit wissenschaftlichen Methoden voraussagen.		X	
(02)	Wegen der Zunahme der Schiffsreisen wurden konkrete Wettervorhersagen notwendig.			X
21	Howards Wolkenklassifikation war anfangs sehr umstritten.			
22	Howards Wolkentypologie basiert auf physikalischen Berechnungen.			
23	Die Form einer Wolke richtet sich nach ihrer Entfernung zur Erde.			
24	Die Wolkenbildung ist von der Temperatur unabhängig.			
25	Zu Howards Lebzeiten wusste man noch nicht, wie sich Wolken bilden.			
26	Howards Wolkenbeschreibung ist inzwischen durch naturwissenschaftliche Methoden ersetzt worden.			
27	Goethe berichtete Howard von seinen eigenen Wetterbeobachtungen.			
28	Goethe schrieb ein Gedicht über Howard.			
29	Goethes theoretische Gedanken zum Wetter kann man heutzutage nicht mehr nachvollziehen.			
30	Goethe förderte die systematische Erforschung des Wetters.			

Übertragen Sie jetzt Ihre Antworten auf das Antwortblatt.

Modelltest

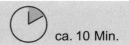

Antwortblatt Leseverstehen

ca. 10 Min.

Sie haben nun 10 Minuten Zeit, um Ihre Lösungen auf das Antwortblatt zu übertragen.

Ihre Lösungen

Mit **schwarzem** Kugelschreiber **so** markieren: ●

Lesetext 1

	A	B	C	D	E	F	G	H	I
1	○	○	○	○	○	○	○	○	○
2	○	○	○	○	○	○	○	○	○
3	○	○	○	○	○	○	○	○	○
4	○	○	○	○	○	○	○	○	○
5	○	○	○	○	○	○	○	○	○
6	○	○	○	○	○	○	○	○	○
7	○	○	○	○	○	○	○	○	○
8	○	○	○	○	○	○	○	○	○
9	○	○	○	○	○	○	○	○	○
10	○	○	○	○	○	○	○	○	○

Lesetext 2

	A	B	C
11	○	○	○
12	○	○	○
13	○	○	○
14	○	○	○
15	○	○	○
16	○	○	○
17	○	○	○
18	○	○	○
19	○	○	○
20	○	○	○

Lesetext 3

	Ja	Nein	Text sagt dazu nichts
21	○	○	○
22	○	○	○
23	○	○	○
24	○	○	○
25	○	○	○
26	○	○	○
27	○	○	○
28	○	○	○
29	○	○	○
30	○	○	○

Hörverstehen

Zeit: 40 Minuten
Inklusive 10 Minuten Zeit für die Übertragung der Lösungen.

Anleitung

Sie hören insgesamt drei Texte.
Die Texte 1 und 2 hören Sie nur einmal, den Text 3 hören Sie zweimal.

Schreiben Sie die Lösungen zunächst hinter die Aufgaben.

Am Ende des Hörverstehens haben Sie 10 Minuten Zeit, um Ihre **Lösungen auf das Antwortblatt zu übertragen**.

Modelltest

Hörtext 1: Aufgaben 1–8

Sie sind im Aufenthaltsraum Ihres Studentenheimes auf einer Abschiedsparty für Ihre Freundin Laura. Sie hören ein Gespräch zwischen Laura und einem Studenten. Sie hören dieses Gespräch **einmal**.

Lesen Sie jetzt die Aufgaben 1–8

CD **2**, 1

Hören Sie nun den Text.
Schreiben Sie beim Hören die Antworten auf die Fragen 1–8.
Notieren Sie Stichwörter.

Lauras Abschiedsparty

(0)	Wie lange wird Laura im Ausland bleiben?	(0)	*1 Jahr*
1	Wo möchte Laura studieren?	1	
2	In welchem Bereich möchte Laura später arbeiten?	2	
3	Was war die Voraussetzung für die Bewerbung in Rom?	3	
4	Wie lange muss man schon studiert haben, damit man sich bewerben kann?	4	
5	Was muss man nach dem Gespräch mit dem Professor tun?	5	
6	Was muss man außer den Leistungsnachweisen noch an die Hochschule schicken?	6	
7	Wie finanziert Laura ihr Auslandsstudium?	7	
8	Wie lange dauert ein Erasmus-Aufenthalt mindestens?	8	

Hörtext 2: Aufgaben 9–18

Sie hören ein Radiointerview mit Herrn Prof. Federkeil und Herrn Müller-Böling zum Thema Studienzeiten in den Naturwissenschaften. Sie hören dieses Interview **einmal**.

Lesen Sie jetzt die Aufgaben 9–18.

CD **2**, 2

Hören Sie nun das Interview.
Entscheiden Sie beim Hören, welche Aussagen richtig oder falsch sind.
Markieren Sie die passende Antwort.

		Richtig	Falsch
(0)	Studierende naturwissenschaftlicher Fächer studieren von Jahr zu Jahr länger.	☐	☒
9	Es gibt eine Tendenz zu einheitlich langen Studienzeiten an den Universitäten in Deutschland.	☐	☐
10	An einigen Hochschulen, die bereits für lange Studienzeiten bekannt waren, sind die Studienzeiten noch länger geworden.	☐	☐
11	Die Studie soll Abiturienten bei der Wahl der passenden Hochschule helfen.	☐	☐
12	Es hängt auch von der Persönlichkeit des einzelnen Studierenden ab, wie lange er studiert.	☐	☐
13	Im Osten Deutschlands waren die Studienzeiten früher meist kürzer.	☐	☐
14	Die meisten Studierenden möchten in einer Großstadt studieren.	☐	☐
15	Weil sie kein Geld für das Studium bezahlen möchten, studieren viele Studenten schneller.	☐	☐
16	Die Studienbedingungen haben sich in den letzten Jahren verschlechtert.	☐	☐
17	In der Untersuchung werden mehr als 30 Fächer an verschiedenen Universitäten bewertet.	☐	☐
18	Es gibt keine Einzelbewertung für die Universitäten.	☐	☐

Modelltest

Modelltest

Hörtext 3: Aufgaben 19–25

Sie hören einen kurzen Vortrag des Wirtschaftswissenschaftlers Prof. Otmar Essing vom September 2002. Sie hören diesen Vortrag **zweimal**.

Lesen Sie jetzt die Aufgaben 19–25.

CD **2**, 3

Hören Sie nun den Text ein erstes Mal.
Beantworten Sie beim Hören die Fragen 19–25 in Stichworten.

Der Euro

(0) Was war am 1. Januar 1999?

(0) – *Beginn der Europäischen Währungsunion* /
     – *Beginn des Euro* /
     – *Zentralbank übernahm geldpolitische Kompetenz*

19 Wie reagierten die Menschen in Deutschland auf den Euro, nach dessen Einführung?

19 _____

20 Was sagt Prof. Essing über die Entwicklung einzelner Preise und über die allgemeine Preisentwicklung?

20 _____

21 Worüber sind die Kritiker und Befürworter der Währungsunion einer Meinung?

21 _____

22 Was sollte man tun, wenn man die heutige Situation in Europa analysieren möchte?

22 _____

23 Welche Bereiche waren während der Pax Romana in Europa außer der Währung noch einheitlich? Nennen Sie zwei.

23 a) _____
    b) _____

24 Welches Ziel hatten alle Bestrebungen zur europäischen Einheit?

24 _____

25 Was ist nach Meinung von Prof. Essing die Voraussetzung für die politische Einheit Europas?

25 _____

Ergänzen Sie jetzt Ihre Stichwörter. Sie hören den Text ein zweites Mal.
Sie haben 10 Minuten Zeit, um Ihre Lösungen auf das Antwortblatt zu übertragen.

Antwortblatt Hörverstehen

ca. 10 min

Sie haben nun 10 Minuten Zeit, um Ihre Lösungen auf das Antwortblatt zu übertragen.

Ihre Lösungen

Mit **schwarzem** Kugelschreiber **so** markieren: ●

Hörtext 1

1	
2	
3	
4	
5	
6	
7	
8	

Hörtext 2

	r	f
9	○	○
10	○	○
11	○	○
12	○	○
13	○	○
14	○	○
15	○	○
16	○	○
17	○	○
18	○	○

Hörtext 3

19	
20	
21	
22	
23	a) b)
24	
25	

Modelltest

Schriftlicher Ausdruck

Zeit: 60 Minuten

Anleitung	ca. 5 Min.

Für die folgende Aufgabe ist es wichtig, dass Sie diese Anleitung genau verstehen.
Bitte lesen Sie deshalb zuerst nur diese Anleitung. Sehen Sie noch nicht die Aufgaben an.

Sie sollen einen Text zu einem bestimmten Thema schreiben. Zuerst beschreiben Sie eine Grafik,
die einige Informationen zum Thema enthält. Anschließend nehmen Sie zu einem Aspekt des Themas
Stellung.

Gliedern Sie den Text in zwei Abschnitte:
– Im ersten Abschnitt beschreiben Sie eine Grafik, die einige Informationen zum Thema enthält.
– Im zweiten Abschnitt nehmen Sie zu einem Aspekt des Themas Stellung.

Denken Sie daran:
Es soll **ein zusammenhängender Text** sein, d. h. zwischen beiden Abschnitten muss es eine
Verbindung geben.

Für die Beschreibung der Grafik sollten Sie sich ca. 20 Minuten Zeit nehmen.
Für die Argumentation sollten Sie sich ca. 40 Minuten Zeit nehmen.

Achten Sie darauf, dass
– Sie bei der Grafik alle wichtigen Informationen wiedergeben.
– Sie Ihre Argumente begründen.
– Sie die Beschreibung der Grafik und die Argumentation miteinander verbinden.

Achten Sie auch darauf, dass der Text klar gegliedert ist und der Leser Ihrem Gedankengang
folgen kann. Dieses ist wichtiger als z. B. die grammatische Korrektheit.

Schreiben Sie bitte auf den beigefügten Schreibbogen.
Für Entwürfe und Notizen können Sie das beigefügte Konzeptpapier verwenden.
Gewertet wird nur der Text auf dem Schreibbogen.
Bitte geben Sie am Ende des Prüfungsteils Schriftlicher Ausdruck sowohl Ihren Schreibbogen
als auch Ihr Konzeptpapier ab.

Wenn der Prüfer Sie auffordert, umzublättern und die Aufgabe anzusehen, dann haben Sie
noch 60 Minuten Zeit.

Schriftlicher Ausdruck

Selbstständigkeit in Deutschland

Die Situation auf dem Arbeitsmarkt in Deutschland hat sich in den letzten Jahren verändert. Es ist schwieriger geworden, einen festen Arbeitsplatz zu finden. Eine Alternative ist eine selbstständige Tätigkeit, beziehungsweise die Gründung eines eigenen Unternehmens. Das bietet einerseits Unabhängigkeit, andererseits ist die Selbstständigkeit jedoch mit einem finanziellen Risiko verbunden.

Schreiben Sie einen Text zum Thema „Selbstständigkeit"

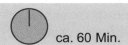 ca. 60 Min.

Selbstständige in Deutschland

Quelle: Stat. Bundesamt, 2001

2001
© Globus
7583

Beschreiben Sie, wie sich die Zahl der Selbstständigen in den letzten zehn Jahren verändert hat. Vergleichen Sie:
- den Anteil der Selbstständigen an allen Erwerbstätigen,
- die Verteilung nach Männern und Frauen.

Im Bezug auf die Selbstständigkeit werden zwei Meinungen vertreten:

- **Unabhängigkeit und Kreativität sind das Wichtigste beim Arbeiten. Das kann man nur in der Selbstständigkeit finden.**
- **Wenn man arbeitet, braucht man vor allem finanzielle Sicherheit und geregelte Arbeitszeiten. Das bietet nur eine feste Anstellung.**

- Geben Sie beide Aussagen mit eigenen Worten wieder.
- Nehmen Sie zu beiden Aussagen Stellung und begründen Sie Ihre Stellungnahme.
- Wären Sie selbst lieber angestellt oder selbstständig? Begründen Sie Ihre Meinung.

Modelltest

Mündlicher Ausdruck

Zeit: 30 Minuten

Anleitung   ca. 5 Min.

Im Prüfungsteil „Mündlicher Ausdruck" sollen Sie zeigen, wie gut Sie Deutsch sprechen.
Dieser Teil besteht aus insgesamt 7 Aufgaben, in denen Ihnen unterschiedliche Situationen aus dem
Universitätsleben vorgestellt werden. Sie sollen sich zum Beispiel informieren, Auskunft geben oder
Ihre Meinung sagen.

Jede Aufgabe besteht aus zwei Teilen: Im ersten Teil wird die Situation beschrieben, in der Sie sich
befinden, und es wird gesagt, was Sie tun sollen. Danach haben Sie Zeit, sich darauf vorzubereiten,
was Sie sagen möchten. Im zweiten Teil der Aufgabe spricht „Ihr Gesprächspartner" oder „Ihre
Gesprächspartnerin". Bitte hören Sie gut zu und antworten Sie dann.

Zu jeder Aufgabe gibt es zwei Zeitangaben: Es gibt eine „Vorbereitungszeit" und eine „Sprechzeit".
Die „Vorbereitungszeit" gibt Ihnen Zeit zum Nachdenken, z.B. eine halbe Minute, eine ganze Minute,
bis zu drei Minuten.

Sie:
Vorbereitungszeit

In dieser Zeit können Sie sich in Ihrem Aufgabenheft Notizen machen. Nach der „Vorbereitungszeit"
hören Sie „Ihren Gesprächspartner" oder „Ihre Gesprächspartnerin", danach sollen Sie sprechen.
Dafür haben Sie je nach Aufgabe zwischen einer halben Minute und zwei Minuten Zeit.

Sie:
Sprechzeit

Es ist wichtig, dass Sie die Aufgabenstellung berücksichtigen und auf das Thema eingehen.
Wenn Sie dazu aufgefordert werden, sagen Sie, was Sie zum Thema denken. Bewertet wird nicht,
welche Meinung Sie dazu haben, sondern wie Sie Ihre Gedanken formulieren.
Die Angabe der Sprechzeit bedeutet nicht, dass Sie so lange sprechen müssen. Sagen Sie, was Sie
sich überlegt haben. Hören Sie ruhig auf, wenn Sie meinen, dass Sie genug gesagt haben. Wenn die
vorgesehene Zeit für Ihre Antwort nicht reicht, dann ist das kein Problem. Für die Bewertung Ihrer
Antwort ist es nicht wichtig, ob Sie Ihren Satz ganz fertig gesprochen haben. Es ist aber auch nicht
notwendig, dass Sie nach dem Signalton sofort aufhören zu sprechen.
Ihre Antworten werden aufgenommen. Bitte sprechen Sie deshalb laut und deutlich.

Mündlicher Ausdruck, Aufgabe 1

CD 2, 4

Sie fangen in Augsburg mit dem Studium an und möchten gerne in einem Zimmer im Studentenwohnheim wohnen. Das Studentenwerk vermittelt diese Zimmer. Deshalb rufen Sie dort an.

Stellen Sie sich vor.
Sagen Sie, warum Sie anrufen.
Fragen Sie nach Einzelheiten zum Wohnungsangebot des Studentenwerks.

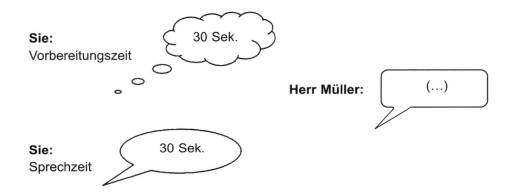

Modelltest

Mündlicher Ausdruck, Aufgabe 2

CD **2**, 5

Sie hören mit Freunden eine Sendung des Studentenradios Ihrer Hochschule. Ihre Freundin Monika fragt Sie, ob man in Ihrer Heimat auch oft Radio hört.

Beschreiben Sie z. B.:
– **wer Radio hört,**
– **wann die meisten Menschen Radio hören,**
– **welche Radiosendungen Sie in Ihrem Heimatland hören.**

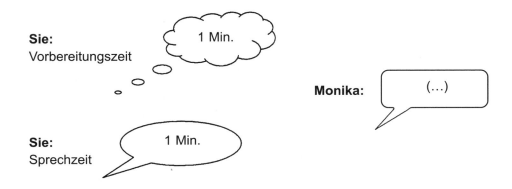

Sie:
Vorbereitungszeit

1 Min.

Monika:

(…)

Sie:
Sprechzeit

1 Min.

Mündlicher Ausdruck, Aufgabe 3

CD **2**, 6

In Ihrem Sprachkurs behandeln Sie das Thema „Alternative Energien" in Deutschland. In Ihrem Lehrbuch ist dazu eine Grafik mit dem Titel „Größenentwicklung der Windkraftanlagen" abgebildet. Ihre Dozentin, Frau Arndt, bittet Sie, diese Grafik zu erläutern.

Erklären Sie Ihren Mitstudenten den Aufbau der Grafik.
Fassen Sie dann die Informationen der Grafik zusammen.

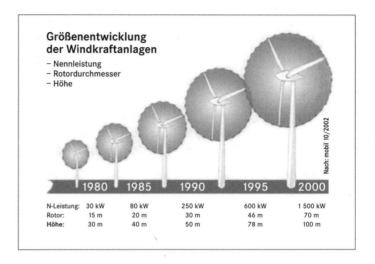

Größenentwicklung der Windkraftanlagen
– Nennleistung
– Rotordurchmesser
– Höhe

Nach: mobil 10/2002

	1980	1985	1990	1995	2000
N-Leistung:	30 kW	80 kW	250 kW	600 kW	1 500 kW
Rotor:	15 m	20 m	30 m	46 m	70 m
Höhe:	30 m	40 m	50 m	78 m	100 m

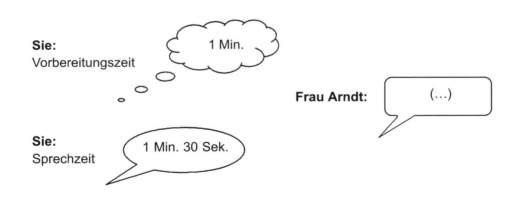

Sie:
Vorbereitungszeit

1 Min.

Frau Arndt: (…)

Sie:
Sprechzeit

1 Min. 30 Sek.

Mündlicher Ausdruck, Aufgabe 4

CD 2, 7

Bisher konnten die Studierenden Ihrer Hochschule kostenlos am Sprachenzentrum neben dem Fachstudium eine zusätzliche Fremdsprache erlernen. Nun möchte das Sprachenzentrum die zusätzlichen Fremdsprachenkurse neu organisieren. Es ist geplant

1. weniger Sprachkurse zusätzlich zum Studium anzubieten.
2. für alle Sprachkurse eine Gebühr von 30 € pro Semester und Kurs zu verlangen.

In einer Informationsveranstaltung des Sprachenzentrums Ihrer Hochschule stellt der Rektor, Herr Prof. Klarmann, diesen Plan zur Diskussion.

Nehmen Sie Stellung zu dem Vorschlag:
– Wägen Sie die Vorteile und Nachteile dieses Plans ab.
– Begründen Sie Ihre Zustimmung oder Ablehnung.

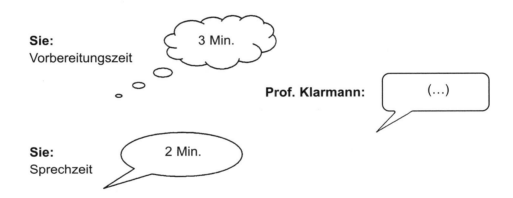

Mündlicher Ausdruck, Aufgabe 5

CD 2, 8

Ihre Freundin Jutta schließt bald ihr Studium ab und hat sich bei einer großen Firma beworben. Heute hat sie erfahren, dass sie in zwei Wochen zu dem Eignungstest dieser Firma eingeladen ist. Aber an diesem Termin heiratet ihre ältere Schwester. Jutta ist die Trauzeugin. Jutta fragt Sie, ob sie zu dem Eignungstest oder zur Hochzeit ihrer Schwester gehen soll.

Sagen Sie Jutta, wozu Sie ihr raten:
– Wägen Sie dabei Vorteile und Nachteile ab.
– Begründen Sie Ihre Meinung.

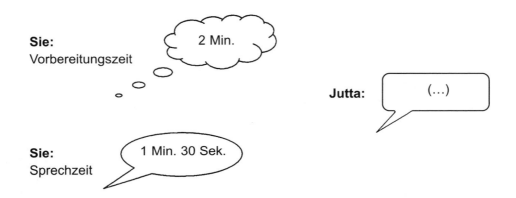

Sie:
Vorbereitungszeit

2 Min.

Jutta: (…)

Sie:
Sprechzeit

1 Min. 30 Sek.

Mündlicher Ausdruck, Aufgabe 6

CD **2**, 9

In Ihrem kommunikationswissenschaftlichen Seminar geht es heute um das Thema „Medienkonsum in Deutschland". Ihre Dozentin, Frau Dr. Krusche, verteilt zwei Grafiken mit dem Titel: „Ausgaben deutscher Privathaushalte für Medien" und bittet Sie, anhand der Grafiken Gründe und Entwicklungen der Ausgaben für Medien vorzutragen.

- **Nennen Sie die Gründe für die unterschiedliche Höhe der Ausgaben von 1993–2003.**
- **Stellen Sie dar, welche Tendenzen Sie für die Zukunft erwarten. Verwenden Sie dabei Informationen der Grafiken.**

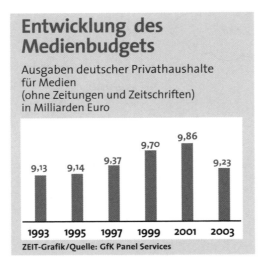

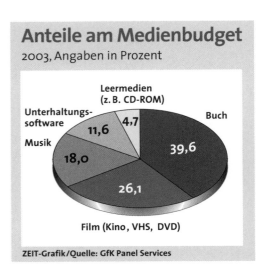

Aus: *Die Zeit vom 26.8.2004, S. 29*

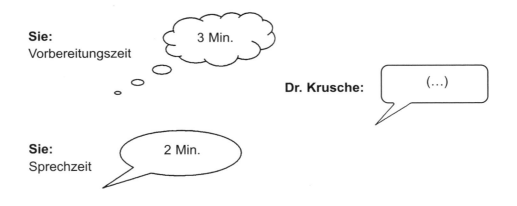

Sie:
Vorbereitungszeit

3 Min.

Dr. Krusche: (…)

Sie:
Sprechzeit

2 Min.

Mündlicher Ausdruck, Aufgabe 7

CD **2**, *10*

Es ist Samstag und Ihr Freund Dirk überlegt, was er am Abend machen soll. Er kann in eine Diskussionsveranstaltung der Hochschule zur Einführung von Studiengebühren gehen oder mit einigen Freunden Tennis spielen. Dirk fragt Sie, wozu Sie ihm raten.

Sagen Sie, was Sie an Dirks Stelle tun würden.
Begründen Sie Ihre Meinung.

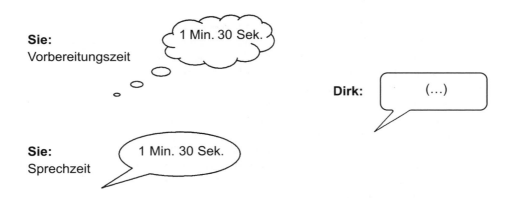

Transkriptionen

Hörverstehen 1, Erste Übungsaufgabe  CD 1, 1–5

A: Hallo Dieter. Ich habe gehört, du gehst zum Studium nach Ingolstadt. Warum studierst du denn nicht hier weiter?

D: Na ja, ich habe großes Glück und einen Studienplatz in dem Europastudiengang dort bekommen. Der Studiengang ist neu eingerichtet worden und es sind nur 25 Studierende aufgenommen worden. In diesem Semester waren die ersten Veranstaltungen.

A: Aha, und warum gehst du gerade nach Ingolstadt? Es gibt doch auch an anderen Universitäten Europastudiengänge.

D: Schon, aber in Ingolstadt ist der einzige mit dem Schwerpunkt Literatur und Sprachen. An den anderen Unis muss man sich auf Politik und Wirtschaft spezialisieren. Außerdem lerne ich während des Studiums zwei europäische Sprachen und kann auf jeden Fall ein Semester im Ausland studieren.

A: Das ist ja toll! Weißt du schon, wo du im Ausland studieren möchtest?

D: Ich bin noch nicht sicher, aber vielleicht in Portugal.

A: Da würde ich auch gerne mal länger bleiben! Sag mal, was lernst du eigentlich in diesem Studiengang?

D: Ach, da stehen viele unterschiedliche Themen auf dem Programm. Ich interessiere mich besonders für die Medien in Europa. Die geschichtlichen Seminare interessieren mich weniger.

A: Aha, das Studium ist bestimmt interessant. Aber hast du damit auch Chancen auf dem Arbeitsmarkt?

D: Ich denke schon! In dem Studium lernt man neben dem Fachwissen auch praktische Dinge, wie z.B., ein größeres Projekt zu organisieren. So was braucht man im Beruf ja auch.

A: Ja. Das stimmt schon. Und welchen Abschluss hast du nach dem Studium?

D: Nach sechs Semestern schließe ich das Studium mit einem Bachelor (B.A.) ab.

A: Na ja. Also ich weiß nicht, ob du mit einem Bachelor wirklich so gute Chancen hast, eine Arbeit zu finden. Ich kann mir das nicht vorstellen.

D: Doch, das glaube ich schon. Ich war sogar in der Studienberatung. Dort wurde mir gesagt, dass ich genauso gute Chancen habe wie Studierende anderer Universitäten mit einem Magister. Und ich studiere viel kürzer.

A: Na, vielleicht hast du Recht. Aber könntest du dich nach dem Studium denn auch weiter qualifizieren? Kannst du z.B. in dem Fach auch promovieren, falls du weiter an der Uni bleiben möchtest?

D: Ja, natürlich. Wenn ich ein Thema finde, zu dem ich eine Doktorarbeit schreiben möchte, kann ich das auch machen. Ich muss dann nur einige Seminare zusätzlich belegen. Aber so weit denke ich jetzt noch gar nicht. Ich freue mich erst einmal auf das Studium und dann werde ich weitersehen.

Hörverstehen 1, Zweite Übungsaufgabe  CD 1, 6–8

A: Guten Tag. Ich fange in diesem Semester an der Universität mit einem Psychologiestudium an. Ich möchte gerne schon etwas über das Fach lesen. Wo stehen denn die Bücher für Psychologen?

B: Die Fachbücher für Psychologie sind gleich hier hinten. Was suchen Sie denn?

A: Ja, eigentlich interessiere ich mich besonders für die Hirnforschung. Ich weiß aber noch nicht viel darüber.

B: Dann lesen Sie vielleicht besser erst einmal eine allgemeine Einführung in das Psychologiestudium.

B: Ja, das ist eine gute Idee. Ich suche aber auch noch ein Lexikon. Ich habe gestern nämlich einen Artikel zur Hirnforschung gelesen und nicht alle Wörter verstanden. Jetzt wollte ich gerne wissen, wo ich unbekannte Wörter zur Hirnforschung nachschlagen kann.

B: Hm. Also wir haben gerade ein sehr gutes neues Lexikon zur Hirnforschung bekommen. Das steht hier. Da sind alle wichtigen Begriffe erklärt. Wir haben das Lexikon als Buch und als CD. Wenn Sie Wörter-erklärungen suchen, geht das mit der CD am schnellsten.

A: Das ist ja prima. Wo kann ich die CD denn anschauen?

B: Wir haben einen Lesesaal. Da stehen auch Computer. Dort können Sie die CD einlegen und in Ruhe ansehen.

A: Ach, das ist gut. Und wo kann ich allgemeine Informationen zu dem Bereich Hirnforschung finden?

B: Allgemeine Informationen finden Sie auch in dem Lexikon. Da würde ich aber dann das Buch nehmen. Wenn Sie das Buch in Ruhe durchsehen, lernen Sie viele neue Themengebiete kennen.

A: Aber sind die Texte in dem Lexikon nicht sehr schwer zu verstehen, wenn man erst mit dem Studium anfängt?

B: Nein, das Lexikon ist ja nicht nur für Wissenschaftler geschrieben. Und es gibt auch viele Bilder und Tabellen. Dadurch kann man die Texte besser verstehen.

A: Gibt es in dem Buch auch Informationen über die Entstehung der Hirnforschung?

B: Ja, da können Sie das Vorwort in dem Lexikon lesen. Da ist kurz beschrieben, seit wann es das Fachgebiet Hirnforschung gibt und wie es entstanden ist.

A: Hm. Wenn das Buch so gut ist, kaufe ich es mir vielleicht besser.

B: Tja, das Buch ist leider sehr teuer. Es kostet 596,– Euro.

A: Oh. Das kann ich leider nicht bezahlen. Schade.

B: Aber das ist nicht so schlimm. Sie können ja alle Artikel, die Sie auf der CD finden, direkt im Lesesaal ausdrucken. Dann können Sie die Artikel in Ruhe zu Hause lesen.

A: Das ist gut, vielen Dank für Ihre Hilfe!

Hörverstehen 2, Erste Übungsaufgabe  CD 1, 9–11

Interviewer: Für ihre Magisterarbeit brauchen manche Studenten Jahre – andere dagegen nur wenige Tage. Wer sich den mühsamen Weg des wissenschaftlichen Arbeitens sparen will, der verwendet die Arbeit anderer: Im Internet kann vom Referat bis zur Diplomarbeit alles kopiert werden. Die Arbeiten sind nach Themen sortiert unter Internetadressen zu finden, die den meisten Studenten bekannt sind. Immer mehr Haus- und Magisterarbeiten an deutschen Hochschulen stammen aus dem Internet. In den USA schätzt man die Zahl schon auf 30 Prozent. Der Deutsche Hochschulverband DHV will etwas gegen das Kopieren von Arbeiten aus dem Internet tun. Er forderte Professoren offiziell zur Kontrolle der abgegebenen Arbeiten auf. Herr Prof. Dr. Hartmut Schiedermair, Sie sind der Präsident des Deutschen Hochschulverbands. Können Sie mir sagen, wie weit falsche Hausarbeiten an den Universitäten der Bundesrepublik verbreitet sind? Haben sie da Beispiele?

Schiedermair: Wir haben die große Sorge, dass die Versuchung, sich über das Internet Referate, Hausarbeiten und Diplomarbeiten zu besorgen, riesengroß geworden ist. Wir haben keine zuverlässigen Zahlen über die Verbreitung gefälschter Hausarbeiten in Deutschland. Schätzungen aus Amerika aber sind geradezu erschreckend. In Deutschland gibt es bisher nur Stichproben: Von 34 von Studierenden abgelieferten Texten waren beispielsweise 12 aus dem Internet.

Interviewer: Haben denn Studenten kein Gefühl mehr dafür, was erlaubt ist und was nicht? Gibt es denn unter Studenten kein Unrechtsbewusstsein mehr?

Schiedermair: Das ist das Problem. Wenn man einem Studenten nachweisen kann, dass er eine fremde Arbeit kopiert hat, sollte dieser Student eigentlich auch entsprechend bestraft werden. Denn das Kopieren von wissenschaftlichen Arbeiten ist geistiger Diebstahl und Betrug.
Ich glaube aber in der Tat, dass heute das Unrechtsbewusstsein unter den Studenten nicht mehr verbreitet ist. Statt Betrug und Diebstahl, nennt man das Kopieren von fremden Arbeiten einfach „downloaden", also auf Deutsch „herunterladen". Durch die Veränderung der Sprache, also durch die Verwendung eines englischen Ausdrucks, verändert sich hier auch der Inhalt und damit das Bewusstsein, etwas Verbotenes zu tun. Denn etwas aus dem Internet herunterzuladen ist nicht so schlimm, wie etwas zu stehlen. Als Erstes muss man deshalb klar sagen: Wer Arbeiten aus dem Internet herunterlädt, der stiehlt geistiges Eigentum.

Interviewer: Jährlich gibt es unzählige studentische schriftliche Arbeiten. Frau Prof. Ebert, welche Kontrolle können Professoren denn überhaupt leisten?

Ebert: Das ist natürlich bei der Menge von Hausarbeiten sehr schwierig. In den Vereinigten Staaten werden eigene Prüfprogramme schon als Software zur Verfügung gestellt. Diese Programme sind natürlich sehr teuer.

Die Kontrolle der Arbeiten ist insgesamt eine sehr schwierige Aufgabe. Aber zumindest bei Examens-arbeiten darf man nicht darauf verzichten, auch gewisse Kontrollmöglichkeiten im Internet zu nutzen.

Interviewer: Sollen die Professoren ihre Studierenden mithilfe des Internets kontrollieren?

Ebert: Den Professoren bleibt wohl keine andere Möglichkeit. Die Betrugsversuche haben in der vergangenen Zeit deutlich zugenommen. Und durch die technischen Möglichkeiten des Internet ist die Kontrolle etwas schwieriger geworden. Nun müssen wir Professoren selbst im Internet nach Programmen suchen, mit denen wir gefälschte studentische Arbeiten finden können.

Interviewer: Herr Prof. Schiedermair, Frau Prof. Ebert, ich danke Ihnen für dieses Gespräch.

Nach: Deutschlandfunk, Campus &Karriere vom 23.7.2002: Geistiger Diebstahl ist kein Kavaliersdelikt.

Hörverstehen 2, Zweite Übungsaufgabe  CD 1, 12–15

Interviewer: Herr Orr, sie arbeiten als britischer Hochschulforscher in Hannover und haben verglichen, wie in England, Irland, den Niederlanden und in Deutschland Hochschulen finanziert werden. Seit einigen Jahren finden auch in einigen Bundesländern in Deutschland Evaluationen statt. Das heißt, die Leistungen der Hochschulen werden bewertet. Sie haben auch die Auswirkungen dieser Evaluationen untersucht. Was sind denn die Hauptunterschiede zwischen den untersuchten Ländern?

Orr: Die Hauptunterschiede sind eigentlich dann die Konsequenzen, die sich aus den Evaluationen ergeben. In Deutschland und in den Niederlanden gibt es keine direkten finanziellen Konsequenzen von Evalua-tionen. In Großbritannien und Irland gibt es das sehr wohl, wenn die Leistungen einer Universität schlecht bewertet werden, erhält sie weniger Geld.

Interviewer: Was bringt uns dieses Ergebnis der Untersuchung?

Orr: In Deutschland werden bisher noch nicht in allen Bundesländern Evaluationen durchgeführt. Als Erstes kann man daher sagen, dass es überlegenswert wäre, in ganz Deutschland Forschungsevaluationen ein-zuführen, sodass wir dann mehr über die Leistungen der Hochschulen wissen.

Interviewer: Frau Schmitt, Sie waren an der Untersuchung beteiligt. Was wird denn in so einer Evaluation als gut bewertet, die Zahl der Publikationen, die Absolventen oder wie erfolgreich die Universitäten Geld für ihre Forschung von der Industrie erhalten? Was sind das für Kriterien?

Frau Schmitt: Nein, die Kriterien, die Sie genannt haben, sind nicht so wichtig. Man zählt z.B. in Groß-britannien nicht die Zahl der Publikationen, sondern die Qualität der Publikationen wird ausgewertet. Alle Wissenschaftler müssen vier Publikationen einreichen und deren Qualität wird von Gutachter-gruppen bewertet. Unabhängige Wissenschaftler bewerten also die Qualität der Forschungsergebnisse einer Universität.

Man kann vielleicht sagen, dass die Evaluationen am strukturiertesten in den Niederlanden gemacht werden. Da guckt man zum Beispiel, ob eine wissenschaftliche Publikation nur national oder auch inter-national von Qualität ist, also auch bei Forschern anderer Länder Anerkennung findet. Dann nimmt man auch die wissenschaftliche Bedeutung eines Forschungsvorhabens als Maßstab. Hier guckt man, unter anderem ob die Aktivität für das Fach insgesamt wichtig ist.

Interviewer: In Deutschland hat der Staat immer weniger Geld für die Universitäten. Welche Perspektiven haben die 330 Hochschulen, die es hier in Deutschland gibt?

Orr: Am wichtigsten ist, dass die Hochschulen die Chance haben, sich zu zeigen, dass heißt ihre Leistungen auch außerhalb der Hochschule zu präsentieren. Die Evaluationen geben den Hochschulen diese Chancen.

Interviewer: Das ist jetzt die positive Seite der Evaluationen. Die andere ist, dass nicht alle Hochschulen an diesem Markt bestehen können.

Orr: Durch die Evaluationen kann man dann sehen, ob eine Hochschule forschungsstark ist oder nicht. Vielleicht müssen einige Hochschulen teilweise andere Schwerpunkte in der Forschung setzen.

Interviewer: Vielen Dank für dieses Gespräch.

Nach: Deutschlandfunk, Campus & Karriere vom 14.3.2003: Forschungsevaluation und Hochschulfinanzierung.

Hörverstehen 3, Erste Übungsaufgabe  *CD 1, 16–18*

Interviewer: Mit dem Dauerregen kommt die Klimakatastrophe näher, titelte im vergangenen Sommer eine große deutsche Tageszeitung. Herr Milke, Sie sind Wetterexperte von German Watch, einer Nichtregierungsorganisation, die sich mit Ursachen und Konsequenzen von Klimaveränderungen beschäftigt. Was meinen Sie dazu?

Milke: Die Klimaveränderungen und ihre Auswirkungen sind in den letzten Jahren immer häufiger in die Schlagzeilen gekommen und die Bilder, die wir abends im Fernsehen sehen können, betreffen nicht nur Europa oder Deutschland, sondern die ganze Welt. Es ist ein Phänomen, das wir beobachten können, von China bis Niedersachsen, von Mittel- und Südamerika bis nach Bayern. Überall müssen sich Menschen damit auseinandersetzen, dass es eines der größten Experimente der Menschheit gibt, nämlich dass der Mensch selber dazu beiträgt, dass sich das Klima verändert.

Wir werden zunehmend mit extremen Wetterlagen zu tun haben. Extreme Wetterlagen, das heißt auf der einen Seite, dass wir mehr Niederschläge haben, wie z. B. dieses Jahr in Deutschland. Auf der anderen Seite haben wir in Regionen der Welt, wo vorher Niederschläge waren, ganz enorme Dürren zu verzeichnen. Das Wetter reagiert also anders, als es über Jahrzehnte, Jahrhunderte vorher festgestellt wurde, und das wird sich wahrscheinlich in den nächsten Jahrzehnten und Jahrhunderten noch verstärken. Denn das, was wir heute an Auswirkungen feststellen müssen, ist auf die CO_2-Ausstöße zurückzuführen, die fünf oder zehn Jahre zurückliegen. Und die Menschen haben noch nicht so weit gelernt und sich verändert, dass sie sich wirklich von dem Verbrennen und Verbrauchen von fossilen Brennstoffen abgewandt hätten, sondern es sind sogar Steigerungsraten in bestimmten Bereichen festzustellen, sodass die Konsequenzen von dem, was wir heute immer noch falsch machen – und nicht nur hier bei uns, sondern weltweit – in den nächsten Jahren und Jahrzehnten noch deutlicher zu spüren sein werden.

Zwar hat es immer wieder extreme Unwetterperioden gegeben. – Das Wetter war natürlich immer Veränderungszyklen unterworfen. – Was wir aber feststellen müssen, ist, dass diese Veränderungen durch den Menschen noch verstärkt werden, und das innerhalb von 100 bis 150 Jahren, also ungefähr in der Periode, wo in verstärktem Maße Kohle, Erdöl und andere fossile Brennstoffe benutzt wurden. Das heißt, Veränderungen, die immer schon existierten, die sich dann aber über 100 000, 250 000 Jahre erstreckt haben, die muten wir uns und dem Planeten innerhalb von kürzester Zeit zu.

Interviewer: Herr Milke, eine Sache verstehe ich nicht: Sie sprechen von Erderwärmung als Ursache der Unwetter. Dann müsste es doch in Deutschland viel wärmer sein als früher?

Milke: Ja, wenn wir uns die Temperaturen ansehen – das sind ja immer nur ganz kleine graduelle Steigerungen –, dann muss man eben schon feststellen, dass innerhalb des 20. Jahrhunderts die Erderwärmung um 1 Grad Celsius zugenommen hat. Es gibt Berechnungen von internationalen Wissenschaftlern, dass es sogar bis 2100 Erderwärmungen um 6 Grad Celsius geben kann. Vorsichtigere Messungen gehen von mehr als einem Grad Celsius auch im nächsten Jahr aus. Diese kleinen graduellen Änderungen führen aber doch dazu, dass in den Rückkoppelungseffekten, die ja nun einmal das Wetter ausmachen – keiner kann ja heute genau sagen, wie das Wetter an dieser oder jener Stelle in zwei Wochen ist – zusammenhängende Effekte gesehen werden müssen, dass extremer reagiert wird, weil natürlich das Wetter, die Natur, sich anpasst. Diese Entwicklungen machen es notwendig, dass der CO_2-Ausstoß vermindert wird. Daran müssen sich alle Staaten der Erde beteiligen.

Nach: Deutschlandfunk - Informationen am Morgen 12.8.2002 • 08:20 Unwetter als Vorboten der Klimakatastrophe. Martin Gerner im Gespräch mit Klaus Milke, Wetterexperte von German Watch

Hörverstehen 3, Zweite Übungsaufgabe  *CD 1, 19–22*

Interviewer: Babys faszinieren Forscher. In den letzten Jahren entdecken die Wissenschaftler, welche komplizierten Denkfähigkeiten sich hinter dem Lallen und Lächeln der Babys verbergen. Babys können schon kurz nach der Geburt ihre Muttersprache von Fremdsprachen unterscheiden, nur wenig später entwickeln sie einen Sinn für Zahlen. Sie können von Anfang an kommunizieren. Babys sind klug, das ist heute eine allgemein akzeptierte Tatsache. Herr Professor Plunkett, wenn Babys so klug sind, warum sprechen sie dann nicht?

Prof. Plunkett: Im Licht neuerer wissenschaftlicher Erkenntnisse ist das eigentlich nicht zu viel verlangt. Schon mit einem Monat können Babys einen „B"-Laut von einem „D"-Laut unterscheiden. Doch offenbar ist es für das Gehirn etwas ganz anderes, einen Klang zu analysieren, als ihm eine Bedeutung zu geben, also den Klang und die Bedeutung miteinander zu verbinden. Deshalb gelingt es auch Einjährigen nicht, zwei Stofftiere namens „Bau" und „Dau" auseinander zu halten.

Wir haben den Übergang vom bloßen Klang zum bedeutungstragenden Wort in unserem Sprachlabor untersucht. Bei diesem Experiment sahen Kinder zwischen einem und zwei Jahren zwei Bilder, etwa von einer Katze und einem Hund. Gleichzeitig hörten sie ein Wort, zum Beispiel „Hund". Wenn sie dabei häufiger zum Hundebild sahen, gingen wir davon aus, dass sie das Wort verstanden hatten. Dann sprachen wir die Worte systematisch anders aus. Statt Hund kann man Kund sagen oder Wund und testen, ob die Kinder bei den bewusst falsch ausgesprochenen Worten immer noch zum Hundebild schauen. Tun sie dies, so haben sie die klanglichen Unterschiede wohl nicht bemerkt. Sehen sie das Bild aber nur dann an, wenn das Wort korrekt ausgesprochen wird, haben sie den Klang eines bedeutsamen Wortes im Gehirn in allen Details abgespeichert.

Die Ergebnisse dieses Experiments deuten darauf hin, dass Kleinkinder von 18 und 24 Monaten den Wortklang im Gehirn ziemlich gut abbilden. Worte, die schon lange im Wortschatz sind, werden aber deutlich klarer dargestellt. Der Klang neu gelernter Worte scheint im Gehirn undeutlicher abgebildet zu sein. Im Gehirn der Einjährigen sind die Laute vermutlich gut abgebildet. Auch die Konzepte, etwa der Begriff „Hund" mit allen seinen Bedeutungen, sind bereits gespeichert. Je vertrauter das Kind aber mit dem Wort wird, je öfter es ein Wort hört, desto eindeutiger ist auch die Verbindung zur korrekten Lautfolge. Während anfangs die Verbindungen zwischen Laut und Bedeutung eher allgemein sind und verschiedene Lautfolgen, Hund, Wund, Kund, vielleicht sogar Mund, mit demselben Konzept, dem Bild eines bellenden Tieres mit vier Beinen verbunden werden.

Allerdings lernen Kinder Worte nur anfangs mühsam eines nach dem anderen. Irgendwann gibt es eine Sprachexplosion, das Kind erlernt neue Worte dann in einer ungeheuren Geschwindigkeit. Es handelt sich dabei um den Höhepunkt eines langsamen Herausarbeitens der Teile und Stücke des Wortschatzes. Es ist wie bei einem Puzzle, man setzt die Teile langsam zusammen und plötzlich sieht man das Bild vor sich. Diese Sprachexplosion, die in der zweiten Hälfte des zweiten Lebensjahres stattfindet, muss daher keinem neuen Entwicklungsprozess entsprechen.

Um auf Ihre anfängliche Frage zurückzukommen: Babys sind zwar in der Analyse des Sprachflusses ihrer Eltern sehr geschickt, aber es braucht einfach Zeit, bis sie eine ausreichende Masse an Erfahrung gewonnen haben und nicht nur Laute, sondern bedeutungsvolle Worte verstehen und produzieren.

Nach: Volkart Wildermuth: Warum sprechen Babys nicht? Forscher untersuchen den Spracherwerb.
© DeutschlandRadio, Forschung aktuell | Aus Naturwissenschaft und Technik vom 30.7.2002

Mündlicher Ausdruck, Aufgabe 1 CD 1, 23–25

Studentenwerk, Wagner am Apparat.

Guten Tag, mein Name ist Monika Schneider. Ich würde gerne einen internationalen Studentenausweis kaufen und habe noch einige Fragen dazu.
Können Sie mir sagen, welche Vergünstigungen man durch den Ausweis hat und in welchen Ländern er anerkannt wird?
Außerdem würde ich gerne wissen, was der Ausweis kostet und wie lange er gültig ist.
Wenn ich den Ausweis beantrage, wie lange muss ich dann warten, bis er fertig ist? Kann vielleicht auch meine Freundin den Ausweis abholen, falls ich dann nicht hier bin?
Eine Frage habe ich noch: Was muss ich mitbringen, wenn ich den Ausweis beantrage? Brauchen Sie auch ein Passfoto von mir?
Entschuldigen Sie die vielen Fragen, aber es ist alles ganz neu für mich.

Mündlicher Ausdruck, Aufgabe 2 CD 1, 26–27

Also bei uns spielt man hauptsächlich Fußball. Da ist die Situation gar nicht so anders als hier in Deutschland. Obwohl Mädchen bei uns nicht Fußball spielen. Die machen meist eine andere Sportart, wie zum Beispiel Tennis.

Und es gibt bei uns natürlich noch viele andere Möglichkeiten, Freizeitsport zu machen, z. B. Schwimmen oder Segeln. Aber am weitesten verbreitet ist wohl Fußball.

Du hast gefragt, wo man bei uns Sport macht. Also meistens ist der Sport nicht so organisiert wie in Deutschland. Es gibt bei uns nicht so viele Sportvereine. Fußball z. B. wird vor allem auf der Straße gespielt. Und schwimmen kann man im Meer. Aber es gibt Sportkurse z. B. an den Schulen und an der Uni.

Ich weiß allerdings nicht ganz genau, wie das an der Uni funktioniert, weil ich ja in meiner Heimat noch nicht studiert habe. Ich nehme an, dass man sich am Anfang des Semesters für bestimmte Sportkurse anmelden kann, z. B. für Schwimmen oder Volleyball. Wahrscheinlich kosten diese Kurse nichts extra.

Sag mal, welche Sportarten gibt es denn bei euch zu Hause?

Mündlicher Ausdruck, Aufgabe 3 CD 1, 28–30

Könnten Sie uns bitte die Grafik kurz erklären und zusammenfassen?

Die vorliegende Grafik zeigt den Anteil ausländischer Studierender in Prozent. Auf der horizontalen Achse sind die Jahre von 1970 bis 2001 dargestellt, wobei von 1979 bis 1990 jeweils die Entwicklung von 5 Jahren zusammengefasst ist. Ab 1997 werden für jedes Studienjahr eigene Angaben gemacht. Auf der _vertikalen Achse_ gibt es Informationen zu den Prozentzahlen in den _verschiedenen Jahren_. Die Grafik unterscheidet zwischen ausländischen Studienanfängern und ausländischen Studenten, die bereits studieren.

Mündlicher Ausdruck, Aufgabe 4 CD 1, 31–32

Was halten Sie eigentlich davon, wenn die Universitätsbibliothek kürzere Öffnungszeiten hat?

Mündlicher Ausdruck, Aufgabe 5 CD 1, 33

Ach, was soll ich bloß machen! Arbeiten oder für die Prüfung lernen?

Mündlicher Ausdruck, Aufgabe 6 CD 1, 34–35

Könnten Sie uns bitte sagen, wie sich die Rolle der Frauen seit 1961 verändert hat und welche Gründe es dafür geben könnte?

Mündlicher Ausdruck, Aufgabe 7 CD 1, 36

Würdest du etwas über die Wirtschaft oder die Literatur Portugals erzählen?

Modelltest, Hörtext 1 CD 2, 1

Laura: Hallo Kai, schön dass du gekommen bist!
Kai: Ist doch klar, wo ich dich jetzt ein Jahr lang nicht sehen werde.
Laura: Na ja, es gibt ja noch E-Mails.
Kai: Wie bist du eigentlich darauf gekommen, nach Italien zu gehen?
Laura: Jetzt gibt es doch diese Erasmus-Programme im Rahmen der Europäischen Union. Jede Universität hat bestimmte Partner-Universitäten. Unsere Uni hat z. B. eine Partnerschaft mit Rom und Italien hat mir schon immer gut gefallen. Außerdem wollte ich gerne mal länger ins Ausland, weil ich doch später in der Touristikbranche arbeiten möchte.

Kai: Kannst du denn gut Italienisch?

Laura: Es geht so. Ich kann schon viel verstehen, das Sprechen fällt mir aber noch ziemlich schwer. Aber ohne eine Bescheinigung über meine Italienischkenntnisse hätte ich mich an der Uni in Rom gar nicht bewerben können. Ich habe deshalb in den Semesterferien einen Intensivkurs gemacht, und dafür die Bescheinigung bekommen, dass meine Sprachkenntnisse für einen Studienaufenthalt gut genug sind.

Kai: Kann sich jeder bewerben, der Italienisch kann?

Laura: Na ja, wichtig ist, dass man mit dem Grundstudium fast fertig ist. Man muss mehr als zwei Semester erfolgreich an der Heimat-Universität abgeschlossen haben, erst dann kann man sich für eine der Partner-Universitäten bewerben.

Kai: Und wie geht es dann weiter?

Laura: Wenn du mit dem Professor, der hier die Erasmus-Programme betreut, gesprochen hast, musst du noch einen Brief an die Hochschule im Gastland schreiben, in dem du erklärst, warum du dort studieren möchtest.

Kai: Muss man irgendwelche Unterlagen gleich mitschicken?

Laura: Ja klar, du musst Belege mitschicken, damit man sieht, was du bisher im Studium geleistet hast. Ich habe z. B. Kopien von meinem Zeugnis über die Zwischenprüfung und von meinen Scheinen aus dem Hauptstudium hingeschickt. Außerdem musst du natürlich auch einen Lebenslauf und ein Passbild abgeben.

Kai: Hm. Aber sag mal, ist es nicht sehr teuer, an einer Universität im Ausland zu studieren?

Laura: Nein, als Erasmus-Student muss man keine Studiengebühren an der Gast-Universität bezahlen und dazu bekommt man auch noch Geld für das Studium, ein richtiges Stipendium.

Kai: Im Ausland studieren, das würde ich ja auch gerne mal ausprobieren. Aber ich glaube, ein Jahr wäre mir zu lang. Da verliere ich zu viel Zeit in meinem Studium.

Laura: Du kannst ja auch kürzer an eine Partner-Universität gehen. Drei Monate musst du allerdings schon dort bleiben, weniger geht nicht, wenn du an dem Erasmus-Programm teilnehmen möchtest.

Kai: Na ja, ich warte lieber erst mal ab, wie es dir so im Ausland gefällt.

Modelltest, Hörtext 2 CD 2, 2

Interviewer: Heute begrüße ich Herrn Federkeil und Herrn Müller-Böling vom Centrum für Hochschulentwicklung. Herr Federkeil, Ihre neueste Studie zeigt, dass die Studienzeiten in den Naturwissenschaften rückläufig sind. Angehende Naturwissenschaftler schließen ihr Studium demnach immer schneller ab. Besonders interessant an Ihrer Untersuchung ist aber, dass z. B. bei der Informatik aus flotten Hochschulen langsamere wurden und umgekehrt. Werden die Studienzeiten an allen Universitäten gleich lang? Ist das der Trend: allgemeine Angleichung?

Federkeil: Einen allgemeinen Trend zur Angleichung können wir nicht feststellen. Wir haben für vier Fächer einen Zeitvergleich machen können. In den einzelnen Fächern haben wir gesehen, dass an vielen Hochschulen im Vergleich zur letzten Untersuchung die Studienzeiten kürzer geworden sind. Bei einigen Hochschulen gab es aber auch beide Entwicklungen: Sowohl die Verkürzung als auch die Verlängerung der Studienzeiten.

Müller-Böling: Ja, interessant ist dabei, dass sich an einigen Hochschulen, die schon vor vier Jahren durch lange Studienzeiten aufgefallen waren, die Studienzeiten weiter verlängert haben. Wie Herr Federkeil schon sagte, hat sich an einigen Hochschulen die Studiendauer aber auch verkürzt. Zum Teil an Universitäten, die bereits zuvor mittlere oder sogar vergleichsweise sehr kurze Studienzeiten hatten. Beispiele sind die Universitäten Gießen und Jena in der Physik.

Interviewer: Was ist denn das wichtigste Ergebnis Ihrer Studie?

Federkeil: An den Hochschulen gibt es Unterschiede. Auch die Entwicklung verläuft unterschiedlich. Studienanfänger sollten diese Ergebnisse bei ihrer Entscheidung für einen Studienort berücksichtigen. Wir wollen den einzelnen Studienanfängern, an die sich unser Ranking ja hauptsächlich richtet, also eine Entscheidungshilfe geben.

Interviewer: Das heißt, ich soll da studieren, wo man möglichst schnell studiert?

Federkeil: Das ist ein Kriterium. Denn je nachdem, wo man studiert, trifft man auf mittlere Studienzeiten, die sich zwischen den einzelnen Hochschulen um bis zu fünf Semester unterscheiden. Unser Ranking enthält aber auch andere Kriterien, die bei der persönlichen Entscheidung eines Studienanfängers wichtig sind, manchmal vielleicht wichtiger als die Studienzeiten.

Interviewer: Gibt es typische regionale Unterschiede? Beispielsweise im Osten studiert man schneller?

Federkeil: Im Osten gibt es zwar die Tradition kürzerer Studienzeiten, aber mittlerweile gleichen sie sich an. Es sind also kaum noch Unterschiede zu bemerken.

Müller-Böling: Hier würde ich gerne noch hinzufügen, dass wir auch noch ein interessantes Ergebnis über den Zusammenhang von Studienort und Studienzeit haben: Insgesamt haben wir das Phänomen, dass die Studienzeiten in den Großstädten länger sind.

Interviewer: Grundsätzlich haben Sie ja gesagt, dass die Studiendauer abnimmt. In vielen Ländern diskutiert man eine Begrenzung des Studiums durch Gebühren. Sehen Sie einen Zusammenhang zwischen kurzer Studiendauer und drohenden Gebühren?

Federkeil: Nein. Ich glaube nicht, dass von den Gebühren für Langzeitstudierende schon ein Einfluss auf die Studienzeiten ausgegangen ist.

Interviewer: Woran liegt es denn, dass die Studienzeiten kürzer werden?

Federkeil: Ich glaube, es hat damit zu tun, dass es ein Thema ist, das in den letzten Jahren immer wieder angesprochen wurde. Die Fachbereiche haben die Studiengänge reformiert, das heißt ein effektiveres Studieren ermöglicht, z. B. durch strukturiertere Studienvorgaben oder auch bessere Öffnungszeiten der Bibliotheken.

Interviewer: Herr Müller-Böling, Hochschulranking hat in Deutschland ja keine Tradition. Können Sie uns noch etwas dazu sagen?

Müller-Böling: Ja, das ist noch relativ neu. In der vorliegenden Untersuchung werden die Studienbedingungen in 34 Fächern an unterschiedlichen Universitäten miteinander verglichen. Dabei werden jeweils bis zu 30 Kriterien untersucht.

Interviewer: Und da kann ich dann sehen, welche Universität die beste und welche die schlechteste ist?

Müller-Böling: Nein, es werden in diesem Ranking keine Einzelplätze vergeben, sondern die Fachbereiche werden für jedes Kriterium gesondert einer Schluss-, Mittel- oder Spitzengruppe zugewiesen.

Interviewer: Vielen Dank für dieses Gespräch.

Nach: Campus & Karriere | 10.4.2003 CHE-Studie belegt kürzere Studienzeiten.
Interview von Honecker mit Prof. Dr. Federkeil und News vom 2.4.2003. des Centrums für Hochschulforschung (CHE)

Modelltest, Hörtext 3 CD 2, 3

Meine Damen und Herren,
der 1. Januar 1999 markiert den Beginn der Europäischen Währungsunion und des Euro. Zu diesem Zeitpunkt übernahm die Europäische Zentralbank die geldpolitische Kompetenz für einen riesigen neuen Währungsraum. Im Bewusstsein der Bevölkerung ist die neue Währung aber erst zum Beginn des Jahres 2002 angekommen, zu dem Zeitpunkt also, zu dem das neue Geld die bekannten nationalen Münzen und Banknoten ablöste.

In Deutschland war der Widerstand gegen die Einführung des Euro oder genauer gesagt, gegen die Aufgabe der D-Mark, weit verbreitet. Umso mehr hat die positive Aufnahme der neuen Währung überrascht. Teilweise konnte man geradezu Begeisterung feststellen. Zwar kam es nach der Umstellung auf den Euro dann doch zu einer überraschend starken Verunsicherung über die Preise, aber das wird sich wieder ändern. Nämlich sobald man zwischen der unbestreitbaren Erhöhung einzelner Preise und der generellen Preisentwicklung zu differenzieren beginnt. Denken Sie nur daran: im April dieses Jahres betrug der Anstieg der Lebenshaltungskosten in Deutschland lediglich 1,6 Prozent, für den Mai gehen die Schätzungen in die Nähe von 1,2 Prozent. Das sind so niedrige Werte, wie wir sie in den letzten 30 Jahren der Existenz der D-Mark nur selten erlebt haben, obwohl bestimmte Produkte und Dienstleistungen sicherlich deutlich teurer geworden sind.

In vielen unserer Nachbarstaaten waren die Einstellungen gegenüber dem Euro von Anfang an äußerst positiv. Überall jedoch bedeutet der Abschied von nationalen Währungen einen tiefen Einschnitt. Denn symbolträchtige Namen wie Franc, Peseta oder Lira gehen verloren. Gegner der Währungsunion und ihre Anhänger sind sich in einem einig: Die Ankunft des gemeinsamen Geldes hat das Gesicht Europas verändert. Die Schaffung einer einheitlichen Währung markiert Ende und Anfang zugleich. Sie ist einerseits krönender Abschluss eines langen Prozesses wirtschaftlicher Integration und andererseits der Beginn einer neuen Epoche unter dem Zeichen der einheitlichen Währung. Die Auswirkungen dieses Ereignisses werden nicht auf die Wirtschaft beschränkt bleiben, sondern Folgen für viele Felder der Politik haben.

Über die Europäische Währungsunion zu sprechen, Europa zu verstehen und über die zukünftige Entwicklung nachzudenken ist nur möglich, wenn man auch einen Blick in die Vergangenheit wirft. Am Anfang war Europa nur eine Idee, ein Ideal. Doch schon sehr früh, nämlich im ersten Jahrhundert vor Christus, gab es eine Zeit, in der Europa nach der kriegerischen Eroberung vereinigt war unter der Pax Romana. Diese politische Union besaß ein gemeinsames Rechtssystem, eine einheitliche Verwaltung und einheitliches Geld. Ein Kaufmann, der seine Reise in Rom begann, konnte auf dem ganzen Weg von Mainz bis London seine Rechnungen mit derselben Münze bezahlen. Dieses politische, ökonomische und monetäre System dauerte einige Jahrhunderte, bis es unter dem Ansturm äußerer Kräfte schließlich zusammenbrach.

Ungeachtet zahlreicher wirtschaftlicher und politischer Katastrophen verschwand die Idee eines vereinten Europa niemals mehr aus den Köpfen. Das Ideal überlebte sogar den Ersten und den Zweiten Weltkrieg. Im Vordergrund der Überlegungen zur europäischen Einheit stand immer die Politik, genauer gesagt die politische Integration und die Schaffung einer Art politischer Union. Aus diesem Antrieb entstand auch die Europäische Gemeinschaft. Da jedoch zunächst die politische Integration wenig Aussicht auf Erfolg hatte, rückte das wirtschaftliche Element in den Vordergrund und fand seinen Abschluss in der Bildung des Europäischen Binnenmarktes.

Keinesfalls sollte man die Symbolkraft einer einheitlichen Währung unterschätzen. Die Möglichkeit, bei Reisen in Europa das gleiche Geld zu benutzen, wird das Bewusstsein der Europäer prägen. Dennoch sollte man von der Währung nicht erwarten, was die Politik und der Wähler noch nicht hervorbringen können, nämlich ein politisch vereintes Europa. Aber: Europa wird über das gemeinsame Geld geschaffen oder überhaupt nicht. Und nur ein Euro mit stabiler Kaufkraft kann den Erwartungen der Bürger gerecht werden. Nur von gutem Geld können die erwünschten positiven Wirkungen ausgehen, die ein gemeinsames Europa fördern.

Nach: Professor Otmar Essing: Der Euro - eine Währung ohne Staat. Europäische und globale Dimensionen. Südwestrundfunk. Der Rede Wert. Sendung vom 12.7.2002, 22.05-23.00 Uhr

Modelltest, Mündlicher Ausdruck 1 CD 2, 4

Studentenwerk Augsburg, Müller ...

Modelltest, Mündlicher Ausdruck 2 CD 2, 5

Hört man bei euch zu Hause auch so viel Radio wie hier?

Modelltest, Mündlicher Ausdruck 3 CD 2, 6

Könnten Sie uns bitte die Grafik zu den Windkraftanlagen erklären?

Modelltest, Mündlicher Ausdruck 4 CD 2, 7

Was halten Sie von diesem Vorschlag?

Modelltest, Mündlicher Ausdruck 5 CD 2, 8

Ich weiß wirklich nicht, was ich machen soll! Soll ich zu dem Auswahltest oder zur Hochzeit meiner Schwester?

Modelltest, Mündlicher Ausdruck 6 CD 2, 9

Könnten Sie uns bitte diese Problematik anhand der Grafik etwas genauer erläutern?

Modelltest, Mündlicher Ausdruck 7 CD 2, 10

Was würdest du denn heute Abend machen: Zu der Diskussionsveranstaltung oder zum Tennis gehen?